Estimula
EL DESARROLLO
DEL BEBÉ

Juan García

LIBSA

© 2015, Editorial LIBSA
C/ San Rafael, 4
28108 Alcobendas (Madrid)
Tel.: 91 657 25 80
Fax: 91 657 25 83
e-mail:libsa@libsa.es
www.libsa.es

COLABORACIÓN EN TEXTOS: Juan García y
equipo editorial Libsa
EDICIÓN: equipo editorial Libsa
DISEÑO DE CUBIERTA: equipo de diseño Libsa
MAQUETACIÓN: equipo de maquetación Libsa
IMÁGENES: Shutterstock Images, 123 RF

ISBN: 978-84-662-2997-5

DL: M 31547-2014

Contenido

Presentación

Desde que nace, el bebé alberga en su ser un enorme potencial que irá demostrando con el paso del tiempo. Al principio, de 0 a 5 meses, los padres se centran en alimentarle, cuidarle y llevar unos hábitos higiénicos para que crezca sano y saludable pero, como no interactúa, el aspecto psicomotor, lingüístico y emocional no se trabaja de manera intensa.

CÓMO USAR ESTE LIBRO

Desde los 5 hasta los 24 meses se explican las capacidades que desarrolla el bebé en cada unos de ellos. Son muchos los cambios que se producen de un mes a otro en la vida de todo bebé y de cada uno se explica cuál es, dentro del estándar establecido, la evolución normal de un niño.

Este libro se ha centrado en los siguientes ámbitos del crecimiento de un niño:
• DESARROLLO COGNITIVO: su manera de pensar y razonar, además de su agilidad mental.
• PSICOMOTRICIDAD: cómo se mueve y coordina los movimientos de su cuerpo según lo indicado por su cerebro.

Explicación a nivel psicomotriz del bebé en este mes

Análisis del desarrollo general en esta etapa

Las capacidades del bebé son explicadas en detalle

En este recuadro se trata la capacidad lingüística

En este recuadro se trata el aspecto lingüístico

Se trata un aspecto psicomotor

El desarrollo cognitivo es tratado en este recuadro

Aquí se analiza la habilidad con las manos

• CAPACIDAD LINGÜÍSTICA: su manera de expresarse y comunicarse a través del lenguaje.

• SOCIALIZACIÓN: su manera de relacionarse con otros niños y con adultos.

• HABILIDAD CON LAS MANOS: está muy relacionada con el desarrollo cognitivo y la psicomoticidad.

La mejor manera de potenciar dichas capacidades es a través del estímulo. En las páginas de este libro se sugieren los juegos apropiados para cada etapa del crecimiento. Son sencillas actividades que aportan un beneficio increíble al proceso de aprendizaje y crecimiento.

Y desde los 25 a los 36 meses se explican las capacidades de los niños más mayores y se incluyen juegos para cada una de ellas, en lugar de por meses, por su evolución y desarrollo a nivel cognitivo, lingüístico y psicomotor.

En **la primera parte de cada mes**, se explican las capacidades que debe tener el niño en esa etapa para dar paso a las técnicas y juegos que potencien su evolución. A continuación, se ofrecen los juegos más apropiados para su edad. En la parte superior se marca el ámbito trabajado y cada juego se presenta con un número y un título que engloba varias actividades pedagógicamente acordes a su edad.

Actividades propuestas
para el mes

Capacidades que
se trabajan con estas
actividades

Mes de evolución

Número de juego y título, que
abarca varias actividades

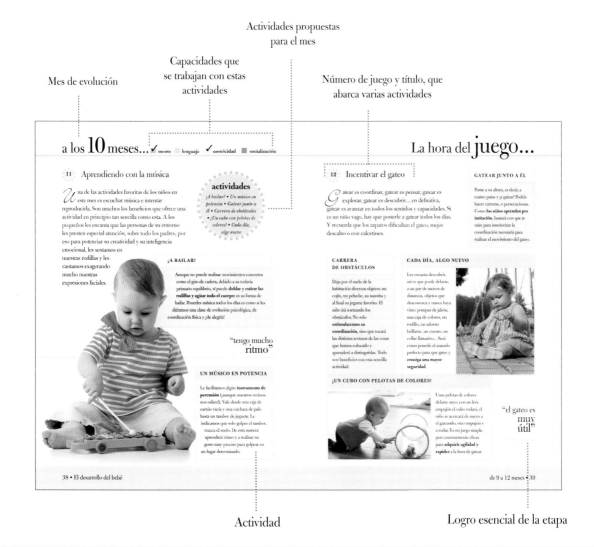

Actividad

Logro esencial de la etapa

Introducción

Este libro ofrece la evolución del bebé y luego niño desde que nace hasta los 3 años explicada mes a mes. En estos primeros años el niño desarrolla unas capacidades y habilidades que tiene de manera innata, pero que se pueden estimular al máximo. La responsabilidad de los padres es informarse sobre cuáles son las capacidades de un niño para ayudarle a potenciarlas.

También deben comprender cuáles son sus limitaciones para no pretender que su hijo luche por alcanzar metas para las cuales su sistema psicomotor todavía no está preparado. El baremo que se ha usado para escribir **este libro está basado en los estándares de la evolución de los niños**: algunos irán levemente por delante de la media, mientras que otros muchos estarán por debajo de dicho nivel. Superados los 3 años, las capacidades físicas y mentales de los niños suelen igualarse bastante.

EL BEBÉ HASTA LOS 5 MESES

Además del aspecto más hermoso de dar una vida y procrear, la paternidad supone asumir responsabilidades. La primera que se lleva a cabo es saber cómo y cuánto come y duerme. **Durante los primeros cinco meses de vida del bebé, la alimentación, las horas de sueño y la higiene invaden la vida de los padres**. En ese primer momento, la paternidad responsable se dedica a los cuidados más inmediatos de alimentación, sueño e higiene para poco a poco empezar a centrarse en aspectos más psicológicos y motrices que son el objetivo de este libro.

EL DESARROLLO INTEGRAL

Pasan los meses y parece que ya está todo controlado. Es entonces cuando el bebé empieza a interactuar con amagos de sonrisa, mirándose las manos, tirando del pelo de la madre... Comienza la nueva etapa en la que, además de la alimentación, la higiene y el descanso, hay que estar atento a la evolución física y mental del niño.

Ninguno de los ámbitos mencionados debe ser obviado porque cuando se habla de crecimiento sano o crecimiento correcto de un niño, se hace clara referencia a todo lo que hemos citado. Estamos hablando del desarrollo integral: sin alimentación no habrá desarrollo psicomotor, y sin este de poco sirve una buena alimentación.

EL JUEGO Y EL APRENDIZAJE

El juego es la herramienta más poderosa que disponen los padres para educar y enseñar a los niños. En cada etapa del crecimiento se recurrirá a un tipo de juego determinado. Para establecer la actividad más apropiada en cada periodo del crecimiento, Jean Piaget estructuró la relación niño-juego en:

• **De 0 a 2 años.** En este periodo (conocido como estadio sensoriomotor) es el llamado juego funcional o ejercicio el que debe predominar. Al principio el niño tendrá una actitud simplemente refleja a los juegos que realizan los padres. Pero más adelante será el propio niño el que empiece a experimentar con su cuerpo, a repetir acciones, a descubrir objetos... comenzará a ser protagonista de los juegos. Las actividades físicas son un medio para desarrollar las habilidades sociales.

• **De 2 a 6 años.** Además de las actividades físicas, en esta etapa (es el estadio preoperacional), los juegos indicados son los simbólicos. A los niños de esta edad les entusiasma hacer que cocinan, que conducen, que son papás y mamás, que son el profesor...

• **De 6 a 12 años.** Es el momento de las llamadas operaciones concretas que se traducen en los juegos con reglas y en grupo.

Se puede hacer una lista interminable de los **beneficios que aportan los juegos**. Sirven para: aprender cosas nuevas, asimilar conceptos, comprender los sentimientos,

aprender de nosotros mismos, descubrir a los demás, desarrollar una personalidad fuerte, recurrir a la fantasía, aumentar la capacidad creativa, sentirse satisfecho, sentir alegría... Cuando un niño está jugando, también está trabajando: se concentra, asimila conceptos nuevos, se pone a prueba, bromea, se entiende mejor a sí mismo y a los demás, desarrolla la generosidad, compite, disfruta...

Según Piaget, el medio en el que nace el niño condiciona su conducta. Por eso unos desarrollan más o menos algunas capacidades, pero es obligación de los padres potenciar al máximo las posibilidades del pequeño porque eso garantizará que crezca feliz.

PASO A PASO

Cuando un bebé empieza a interactuar y descubre sus manos, las caras de sus padres, su habitación... nunca parará de hacerlo porque eso le permite establecerse como persona dentro del mundo. Antes de los 5 meses, los movimientos del bebé son reflejos primarios, no acciones voluntarias. A partir de esa edad y hasta los 8 meses, los movimientos siguen siendo repetitivos pero con intencionalidad y jugando con los objetos de su entorno. Los coge, los lanza, los agita, los chupa... y siempre acaba mirando al adulto para comprobar su reacción. **Busca la aprobación en todo lo que hace** para que le den seguridad en sí mismo.

Después, y hasta los 12 meses, todas sus acciones tienen una intencionalidad ya que pretende un fin con ellas. Suele prestar más atención a lo que hay en su entorno. Desde los 12 a los 18 meses toca el turno de la manipulación de los objetos: los lanza, los golpea, los esconde, los tira... Y comienza a experimentar con nuevas acciones para las cuales hasta ahora no estaba preparado. Y entre los 18 y los 24 meses, empieza a reflexionar sobre las acciones que realiza, comprende que existe una relación de causa-efecto y a prever el resultado de sus actos.

EL PAPEL DE LA ESCUELA

Hemos hablado del papel de los padres en el crecimiento de los niños. Pero no debemos olvidar el de la escuela. Para ello, recurrimos a las palabras del pedagogo Francesco Tonucci: «La escuela tiene que reconocer las competencias de los niños, ya que las desarrollan desde el momento mismo en que nacen. La educación debe fomentar esos conocimientos, incentivar la curiosidad e inquietudes para ayudar al niño a crecer sin perder su esencia que lo hace tan particular y que es su habilidad para jugar y no cansarse». Aunque haya unos estudios reglados y un currículo que cumplir, cada niño es único y es valioso precisamente por su individualidad, por lo que hay que darle lo que necesita para desarrollarse física y mentalmente.

CONSEJOS PRÁCTICOS PARA EDUCAR UN NIÑO FELIZ

- Exige, pero dando cariño.
- No te burles si algo no le sale bien porque su autoestima se verá afectada.
- Alaba y premia sus logros.
- Si algo no le sale, anímale a intentarlo otra vez.
- Transmítele confianza para que aumente la seguridad en sí mismo.
- Explícale las cosas para que la próxima vez las comprenda y no se angustie.
- Déjale claro que tu amor es incondicional, pero que también hay límites.
- Si le amenazas con un castigo, debes cumplirlo.
- Un niño pequeño al que se le dan todos los caprichos será un adolescente insatisfecho.
- Dale pequeñas obligaciones en la casa: apagar la luz del cuarto al salir, meter los juguetes en el cesto, llevar el plato vacío a la cocina...
- No le compares con otros niños o hermanos.
- Dialoga mucho con él, siempre: sobre lo que ha hecho en el colegio, sobre sus miedos, sobre sus preferencias...
- Deja pasar una pataleta y cuando se haya calmado, analizad juntos lo que ha sucedido.
- Elogia siempre sus esfuerzos para darle seguridad.

de 5 a 8 meses...

actividades

*Desarrollo cognitivo
• Psicomotricidad
• Socialización • Manos
• Capacidad
lingüística*

Las ansias por descubrir provocan:
• Tener consciencia de su cuerpo
• Mayor actividad física
• Mejor comprensión de los conceptos espaciales

El bebé descubre el mundo y comienza a tener mayor actividad física, ya que quiere llegar a todo. Su pequeño entorno se amplía y sus ganas de conocer y tocar aquello que le rodea le fuerzan a intentar desplazarse.

Capacidad lingüística

No saben hablar, pero sí expresarse. **Balbucean** y vocalizan de una manera muy exagerada. Se pasan las horas repitiendo sílabas muy marcadas, como «ta-ta», «no-no», «pa-pa». Les gusta el sonido de su voz y experimentar con los agudos y los graves.

Manos

Al inicio de este trimestre, **acaba de descubrirlas** y no para de mirarlas mientras las agita delante de sus ojos. Después pasará a **agarrárselas de una manera consciente**. Y finalmente las usará para **atrapar objetos cercanos**. Las manos también son imprescindibles para tocar la comida y experimentar con ella. En esta etapa aprende a coger dos objetos a la vez.

Socialización

Algo que comenzó a intuir al final del trimestre anterior es ahora una evidencia: **su madre es un ser independiente de él**. Por eso también examina su cara e investiga su cuerpo. Es el momento de tirarle del pelo, agarrar las orejas, abrazarse a sus piernas, esconderse entre su falda... Sin embargo, no le gusta tanta proximidad física con las personas que acaba de conocer: necesita un tiempo para tenerles confianza.

Desarrollo cognitivo

En la mayoría de los bebés el conocimiento viene a través del cuerpo, por eso decimos que su inteligencia es práctica: toca y aprende, toca y aprende, toca y aprende... A los 7 meses muchos comienzan a gatear y **aprenden conceptos espaciales** tan básicos pero imprescindibles como abajo, arriba, dentro, fuera, etc. Esto le permitirá desplazarse sin problemas y atrapar con sus manos los objetos que tiene alrededor.

Psicomotricidad

Es el trimestre en el que aprende a **sentarse y mantenerse erguido**. Este cambio de posición le permite ver las cosas desde otro punto de vista. Le gusta experimentar y debemos dejar que lo haga porque cuantas más experiencias tenga, más conocimientos nuevos adquirirá.

de 5 a 8 meses...

Ya se ha superado la etapa de la fragilidad extrema. El bebé que apenas se movía ha dado paso a un ser pequeñito que se va haciendo hueco en la familia y que va a interactuar con todos los miembros como él sabe: haciéndoles partícipes de su evolución a través de la actividad motora, su capacidad lingüística y la exteriorización de los conceptos aprendidos en los meses anteriores.

Efectivamente, el niño **está descubriendo el mundo, pero este se limita a su capacidad visual**: para él no hay nada más allá que lo que alcanza su vista. Aún así, todo lo que descubre y experimenta va a ser fundamental.

EL ENTORNO MÁS CERCANO

Aunque está descubriendo el mundo, solo está interesado en aquello que está más cerca, en los objetos más próximos a él. Lo que no se encuentra en las proximidades es como si no existiera. De esta manera, conoce lo cercano para ir más allá en el siguiente trimestre de vida.

Por eso es muy curioso que **los niños de esta edad no añoran a sus padres cuando los dejan a cargo de otras personas**. Esa sensación de abandono la tendrán en el siguiente trimestre. Es decir, lo que no está en su campo de visión no lo pueden recordar, ya sea un juguete o sus padres. Los expertos en psicología infantil afirman que no ha desarrollado la permanencia de las personas y los objetos en el mundo. Para ellos, la manera de adquirir dicha noción de permanencia de un objeto no es otra que la propia experiencia adquirida.

NACIMIENTO PSICOLÓGICO DEL NIÑO

Es la forma para definir el momento en el que el niño comprende que es un ser físicamente independiente de sus progenitores, en especial de la madre. Comprende que su cuerpo tiene límites y la madre no forma parte de él. Esta etapa de la vida coincide con cierta independencia física respecto de la madre: es el inicio del gateo, de saber estar sentado, de llevarse la comida a la boca por sí mismo...

INTENCIONALIDAD

El niño descubre el mundo que tiene alrededor (objetos, personas, emociones...) de una manera marcada por la casualidad. Pero lo importante es que lo memoriza y después

UN HOGAR SEGURO

Explorar es la gran palabra que define a los niños de este trimestre: todo lo quieren tocar, no les basta con observarlo. Como todavía no sabemos si nuestro hijo es tranquilo en este sentido o se va a llevar todo a la boca, debemos seguir unos **consejos básicos**:

• Inspeccionar toda la casa para eliminar posibles peligros. O para retirar de su alcance todo aquello que queremos conservar de una pieza, como un jarrón de porcelana.

• Guardar bajo llave o en un armario alto los productos de limpieza: lejía, jabones, estropajos, etc.

• Retirar de su vista objetos cortantes, como tijeras o cuchillos.

• Esconder productos inflamables, como cerillas o mecheros.

• Poner en un sitio elevado las macetas para que no mordisquee las hojas o se trague la tierra.

• Si le gusta abrir la taza del inodoro, entornar una ventana, cerrar las puertas o abrir los cajones, recurrir a los cierres de seguridad que venden en establecimientos de productos de bebés.

• Poner protectores especiales en los enchufes.

repetirá muchas de sus acciones con intención. Toda prueba obtiene respuesta y para alcanzar esa conclusión es necesario un proceso de interiorización en el bebé que puede realizar gracias a su desarrollo cognitivo.

NUNCA SOLO

Antes de gatear con seguridad o de aprender a bajar de la cama de espaldas, el niño experimenta girando sobre sí mismo. Un movimiento tan inocente como ese giro le permite una movilidad hasta ahora desconocida para él.

Sus ansias por explorar y descubrir el mundo, unidas a ese gesto de psicomotricidad del giro, le convierten en un aventurero y de ahí el riesgo de dejarle solo. Hasta ahora era posible que permaneciera en la cama tumbado mientras nos alejábamos durante un par de minutos. A partir de este periodo, la tranquilidad en ese aspecto ha dejado de existir. El hecho de **dejarle solo a esta edad implica una serie de riesgos a evitar**: dejarle sentado en una silla, tumbado en la cama por muy tranquilo que sea, en la bañera con agua...

LANZADOR DE OBJETOS

No hay un actividad más entretenida para un niño de esta edad que tirar objetos: los ve caer y disfruta. Está empezando a experimentar los conceptos causa y efecto. ¡Y es bueno que lo haga! Pero no con cosas de papá y mamá. Por eso estaremos pendientes en todo momento para darle sus resistentes juguetes, en vez de que se decante por objetos que se pueden romper.

a los 5 meses...

*E*ste mes es el que marca un antes y un después porque de repente el bebé descubre su propio cuerpo y es consciente de él. A partir de ahí vendrá todo lo demás: las personas más habituales de su entorno, los juguetes, la habitación...

Manos y pies, grandes descubrimientos

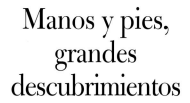

*C*uando un niño descubre sus manitas, se abre todo el mundo ante él. **Comienza mirando las manos** con sorpresa e interés. Las mueve y gira para comprobar que son suyas, y por supuesto, se las chupa.

Después le toca el turno a los pies: nada parece más delicioso que chupar los deditos del pie. El hecho de ser consciente del propio cuerpo es una de las progresiones más importantes que experimenta un bebé.

Girar sobre sí mismo

*C*oordinación y una musculatura más desarrollada permiten que el bebé gire sobre sí mismo y se quede boca abajo. Este **es el primer paso antes del gateo**: ahora solo falta que pueda apoyar las manos y hacer fuerza hacia arriba con los brazos.

"acabo de descubrir **mis pies...**"

Las capacidades

HABILIDAD CON AMBAS MANOS

Puede sujetar objetos con ambas manos. En poco tiempo podrá hacerlo con una sola. Su universo lo amplia con otros objetos y comprueba que además de sí mismo, existen otros estímulos en su entorno.

PUEDE SOSTENER OBJETOS Y ZARANDEARLOS

La habilidad y fuerza con los brazos y las manos son esenciales para que pueda zarandear objetos en el aire. Ya ha descubierto sus manos y ahora experimenta con su fuerza y agilidad.

"ese objeto lo puedo manipular..."

DIRIGE LA MIRADA VOLUNTARIAMENTE

Cualquier objeto o persona que esté en movimiento (una pelota, alguien en bicicleta, un globo...) es observado por el bebé, quien pretende alcanzarlo estirando sus brazos.

BUSCA LA APROBACIÓN DE LOS ADULTOS

Sonríe y emite sonidos con la intención de que los adultos le alaben. Todavía no es consciente del poder y magnetismo que ejerce en las personas de su entorno, pero sí sabe que cuando realiza algo, los demás le premian con su aprobación y él es capaz de provocar y arrancar ese refuerzo positivo con sus actos.

ES CAPAZ DE GIRARSE

Cuando está tumbado, ya no se queda estático, sino que aprende a girar sobre sí mismo hasta colocarse boca abajo.

CHUPA TODO

Su manera de descubrir las cosas, ya sean juguetes u objetos cotidianos, es chupándolas, además de mirándolas.

POCO AGUANTE

Cuando alguien le quita lo que tiene entre las manos, protesta inmediata y enérgicamente. Lo mejor es distraerle, por ejemplo cantando una canción o dando palmas.

EMITE CONSONANTES Y VOCALES

Repite una misma letra de manera insistente, por ejemplo «a-a-a-a-a-a-a», o bien una sílaba, siempre la misma: «ta-ta-ta-ta-ta-ta». ¡Le gusta oír su propia voz!

a los 5 meses...

✔ **mente** ■ lenguaje ✔ **motricidad** ■ socialización

---

1 ¡Tengo manos y pies!

*A*gitar las manos y los pies y seguir su movimiento con la mirada es su actividad favorita porque así descubre el mundo. Ya sea su propio cuerpo o bien distintos objetos, el acto de chupar supone una actividad física que implica un avance dentro de su desarrollo cognitivo.

actividades

Pies con sonido • Más músculo • Hacer una croqueta • Cucú-tras • Crear un móvil para la cuna • Muñequitos para la silla de paseo

MÁS MÚSCULO

Para poder gatear son necesarias una gran coordinación motriz y una musculatura del abdomen algo desarrollada. Para lograr esto último, le agarramos los dos pies con una mano y **levantamos las piernas varias veces**.

PIES CON SONIDO

Cosemos un sonajero ligero a un calcetín y se lo ponemos al bebé. De esta manera, cada vez que levante o baje la pierna, le llegará el sonido del sonajero. Se divertirá mucho intentando **descubrir de dónde viene el sonido**. Y cuando lo haga, no parará de mover ese pie. Es una manera muy amena de **estimular la coordinación corporal**.

"aprendiendo a rodar"

HACER UNA CROQUETA

Desde la posición de tumbado boca arriba, muy suavemente, empújale para que se ponga boca abajo. Y hazlo de nuevo para volver a la posición inicial. Pasar de posición dorsal a ventral y viceversa sirve para **aprender a girar sobre sí mismo**. El premio: ¡unas merecidas cosquillas! y aplausos de aprobación, porque el estímulo es imprescindible para el bebé.

La hora del juego...

2 ¿Dónde estoy?

*J*uegos aparentemente muy sencillos logran que el niño entrene la vista y adquiera los conceptos de lejos/cerca y arriba/debajo de una manera natural.

CUCÚ-TRAS

Cuando esté tumbado o en su cochecito de paseo, **aparecemos y desaparecemos** de su campo visual. Disfrutará viendo la cara de su madre o su padre aparecer con una gran sonrisa y, a la vez, sus ojos se acostumbrarán a cambiar el punto de enfoque de una manera muy rápida.

"descubriendo el movimiento"

CREAR UN MÓVIL PARA LA CUNA

Con un soporte, unas varillas, cordel y unos peluches podemos crear nuestro móvil. **Disfrutará del movimiento y el color** de los adornos que hayas colgado. Eso sí, deben ser peluches o muñecos aptos para bebés: con botones de seguridad, no tóxicos, sin piezas que se puedan soltar... y que no supongan un riesgo para su salud.

MUÑEQUITOS PARA LA SILLA DE PASEO

Como está empezando a descubrir el mundo y ser consciente de lo que le rodea, a menudo se cansa y le resulta agotador observar todo lo que hay en la calle durante el paseo. Por eso **es muy útil** incluir una serie de muñequitos en su silla de paseo: centrará su atención en sus colores y formas y los irá tocando. También le aportarán seguridad, ya que se convertirán en objetos cotidianos muy conocidos por él y eso le gusta.

a los 6 meses...

Es un mes con muchos cambios, sobre todo físicos. La agilidad y el movimiento son los protagonistas de su desarrollo psicomotor. A esto se suma su manera divertida de interactuar con los adultos. Ya es capaz de transmitir alegría o enfado para reclamar la atención de los demás y consigue interactuar con ellos gracias a su incipiente expresividad y emotividad.

Empatía con otras personas

Se gira al oír su nombre y sonríe a la persona que lo ha dicho. Da **evidentes muestras de alegría** cuando sus padres o cuidadores aparecen en su campo de visión. Comienza a ser un ser social y cada vez es más consciente de sí mismo y de quiénes están alrededor. Son los primeros pasos hacia la socialización del bebé. Su universo se amplía, gracias no solo a la actividad motora, sino a la exteriorización de los sentimientos cuando interactúa con los demás.

¡Cuánta movilidad!

Sentarse solo es el gran cambio de este mes. Ya habrá dejado de estar tumbado todo el día y de ser observado por los demás para pasar a ser observador. Al principio, **necesitará un punto de apoyo**, pero a medida que avanza el mes, será capaz de hacerlo solo.

También hará sus primeros intentos de gateo, pero serán simples amagos porque no dispone de la coordinación psicomotora que esta actividad (por su dificultad) requiere. Pero es una etapa de mucho movimiento: entre otras cosas, cuando lo tumbamos, levantará el pecho, los hombros y la cabeza con cierta fuerza para explorar su entorno con curiosidad.

Sincronizar las voces

Cada vez es más **consciente de su propia voz e intenta controlarla**. De esta manera, en ocasiones al adulto le parece que está manteniendo una conversación con el niño: el adulto dice una frase y se calla, y es entonces cuando el niño emite sus propias palabras. Esto sucede porque ha aprendido a **sincronizar sus sonidos con los de los adultos**. Conversaciones sin mucho sentido, ¡pero muy divertidas!

SE MANTIENE SENTADO CON ALGÚN APOYO

Si tiene algún punto de apoyo, permanece un buen rato sentado. El apoyo consiste en los barrotes de la cuna protegidos o el respaldo del sofá o de la silla de paseo.

TENDENCIA A ATRAPAR OBJETOS

Todos los objetos que estén delante de él son susceptibles de ser agarrados. Por ejemplo, los muñequitos del móvil de la cuna, la ropa de alguien que está a su lado, el biberón que hemos apoyado en la mesita de la trona...

SOSTIENE UN JUGUETE CON UNA SOLA MANO

Ya no son necesarias ambas manos para levantar un juguete y moverlo delante de sus ojos. Utiliza indistintamente una mano u otra.

RECONOCER UNA CANCIÓN

Se muestra entusiasmado cuando reconoce una melodía o incluso alguna expresión lingüística familiar.

"yo ya puedo desplazarme solito..."

MUCHO INTERÉS

No hay nada que le guste más que ir a sitios nuevos: ¡lo inspeccionará y observará todo! La excusa de alcanzar la pelota es perfecta para abrirle un mundo lleno de posibilidades.

GORJEOS Y BALBUCEOS MUY EXPRESIVOS

Solo por cómo entona sus balbuceos y gorjeos es posible saber si el bebé se siente a disgusto o si expresa satisfacción. Experimenta su capacidad lingüística.

SE DESPLAZA SOBRE LA TRIPITA

No tiene suficiente fuerza en los pies y las manos como para desplazarse gateando, pero colocado boca abajo, se contonea y es capaz de arrastrarse de barriga hasta alcanzar su objetivo.

3   Reconocer y reconocerse

La evidencia cada vez mayor que tiene el niño de su propio cuerpo hace que comience a reconocer también a los demás: se empieza a integrar en su grupo social. Le llaman más la atención los adultos que los niños de su edad.

actividades

Álbum familiar • Fijar la atención en los cuentos • La voz de la madre • Manta de juegos • Gira, gira la peonza

LA VOZ DE LA MADRE

La madre grabará su voz contando un cuento o cantando una canción que el niño ya conozca. De esta manera, tendremos un recurso muy efectivo para momentos en los que el niño esté nervioso, los viajes en coche, cuando necesitamos tiempo para hacer cosas en la casa... Así activaremos la **atención auditiva del niño**. ¡Con unos cascos estará muy gracioso!

FIJAR LA ATENCIÓN EN LOS CUENTOS

Contarle cuentos enseñándole los dibujos es una costumbre que debe comenzar desde muy pequeño. De esta manera el niño **irá acostumbrándose a tener un cuento entre las manos** e irá fijando su atención, aunque todavía no aguante mucho rato seguido. Si lo hacemos con él en el regazo, le **transmitiremos tranquilidad y seguridad** mientras traemos a sus manos el mundo de la fantasía.

ÁLBUM FAMILIAR

Recopilamos las fotografías de los **familiares más cercanos**: padres, hermanos, abuelos, primos... en un pequeño álbum preparado para él. Las fotos se protegen con plástico autoadhesivo y se unen por uno de los lados con una cinta aislante fuerte. Así el niño disfrutará de un álbum familiar que puede tocar y manchar. Es una **manera muy divertida** de ir aprendiendo y haciendo suyos a los familiares.

La hora del juego...

4 Aprender a desplazarse

Este mes sorprende porque cada día observamos un progreso nuevo. Poco a poco comienza a desplazarse sobre la tripita y ya se gira de una manera muy ágil. Tanto si es tranquilo como si es de los que no paran, las actividades que estimulan el movimiento son imprescindibles en esta etapa del crecimiento.

MANTA DE JUEGOS

Las llamadas **mantas de actividades o gimnasios** se venden ya hechos, pero si no disponemos de uno, lo realizaremos a nuestro modo. Para ello hay que escoger una manta grande que no suelte pelo (como las de lana), pero que no sea sintética. El algodón 100% es el material idóneo para que el bebé entrene. Colocamos al niño en el centro de la manta y diversos juguetes diseminados por ella. Esta actividad es perfecta para desarrollar su coordinación física de cara al proceso de aprendizaje del gateo.

GIRA, GIRA LA PEONZA

Cuando el niño esté tumbado boca abajo, nos colocamos a un metro aproximadamente y hacemos girar una peonza o una pelota de colores en el suelo. Se sentirá tan atraído que **intentará desplazarse hacia ese objeto** con tantos colores que no parará de moverse.

"**primeros pasos** en la autonomía del bebé"

a los 7 meses...

*L*a comprensión de muchas cosas y acciones es ahora evidente. Los expertos recomiendan establecer ya unas pautas y normas básicas de educación: en este sentido, la constancia es imprescindible. Hechos rutinarios, acciones repetidas, juegos recurrentes y primeras palabras cargadas de significado conformarán la base del desarrollo futuro del bebé.

La rutina como aprendizaje

A los niños les gusta repetir las mismas acciones todos los días. Realizar cosas siempre de la misma manera permite que **enseñemos al niño a colaborar**. Cuando lo haya hecho, agradeceremos su colaboración de una manera muy efusiva. De esta forma tan sencilla es como interiorizará el hecho de colaborar y ayudar.

Identifica las emociones

*S*u comprensión lingüística va de la mano con la **identificación de los diferentes tonos de voz que utilizan los adultos** al hablarle. La expresión de su cara reflejará si le están hablando con un tono tranquilizador, o uno serio, o uno enfadado, o uno alegre, etc.

A todos los niños les influye enormemente el ambiente en el que viven (si hay alegría y cariño, o si se trata de un hogar con muchos problemas y tensión), pero a los bebés mucho más, porque no tienen los recursos psicológicos para defenderse. Por eso debemos procurar no transmitirle ansiedad ni tensión.

Educar en el «no»

*E*l bebé de 7 meses conoce el significado de la palabra «no». Cuesta imponerse a un niño de esta edad que hace pucheros y lloriquea, pero es necesario. Si no se hace desde tan temprano y todos los días, **se convertirá en un niño caprichoso** y en un adolescente algo tirano. Un niño bien educado y que conoce las normas de convivencia esenciales necesariamente ha tenido que escuchar la palabra «no» en muchas ocasiones.

Las **capacidades**

DESPLAZARSE CON UN OBJETO

La musculatura y coordinación de este mes le permiten moverse con un objeto en la mano mientras se arrastra o gira para avanzar: son sus primeros intentos por desplazarse de un lugar a otro.

ESCUCHA CONVERSACIONES

Cuando los adultos hablan, él fija la mirada en el que tiene la palabra, incluso se ríe si los demás lo hacen. Quiere participar, pero todavía no sabe cómo hacerlo.

PROVOCAR SONIDO

Le encanta agitar algún juguete ruidoso de manera enérgica para escuchar el sonido.

EN GRUPO

Actividades colectivas, como sentarse en la mesa con los mayores, le parecen muy entretenidas. Estará más seguro si en vez de silla, acercamos su trona a la mesa de los mayores, donde él se convertirá en el gran protagonista.

"primeros intentos de gateo"

PREFERENCIA POR UN LADO

El bebé suele agarrar el objeto que le damos con la mano que tiene más cerca y ese movimiento no es consecuencia de una lateralidad definida. Esto es así porque los dos hemisferios cerebrales todavía no están completamente interconectados.

INTENTOS DE GATEO

Se nota la evolución respecto al mes anterior, pero todavía no puede llevar a cabo un gateo demasiado ágil.

REPETICIÓN Y REPETICIÓN

Igual que cuando le lees un cuento o haces un juego requiere que se haga exactamente de la misma forma porque se siente seguro, también exige que los quehaceres diarios se realicen siempre de igual modo. A medida que vaya haciéndose mayor, introduciremos pequeños cambios porque ya estará listo para asumirlos.

5 Vivir en sociedad

Se dice que un niño es el rey de la casa. Y es cierto, pero con normas. Si dejamos que los niños se acostumbren a hacer todo lo que deseen en cada momento, no les estaremos educando ni haciendo un favor. Invertir tiempo y esfuerzo en su educación es ser buenos padres.

actividades

Pequeñas órdenes • Predicar con el ejemplo • Mejor al aire libre • Un recorrido sembrado de objetos • Para el gateo, evitar los corralitos y espacios muy acotados

"aprendiendo a socializar"

PEQUEÑAS ÓRDENES

Aunque es pequeño, hay que comenzar con su educación. Por ejemplo, a la hora de cambiarle el pañal le dejaremos que juegue con el tubito de crema un rato, pero cuando lo necesitemos **se lo pediremos extendiendo nuestra mano**. Por supuesto, le daremos las gracias.

PREDICAR CON EL EJEMPLO

A esta edad es un gran observador y se fija en todo. Actos tan simples como entrar con él en una tienda y decir «hola» de manera amable y dar las gracias también de forma evidente serán el modelo que el vaya aprendiendo. La manera de **actuar en sociedad** la aprende de los padres: prediquemos con el ejemplo.

La hora del juego...

6 Desarrollo neurológico

$\mathcal{E}$n este mes algunos niños ya gatean, pero otros no, aunque sí deberían hacer intentos. Para motivarles a hacerlo, nada como despertar su interés.

"enfrentarse al mundo real"

UN RECORRIDO SEMBRADO DE OBJETOS

En el mismo pasillo de casa **diseminamos algunos juguetes** u objetos no peligrosos para que los vaya descubriendo a medida que avanza. En cada uno de ellos se parará, se sentará, lo chupará y se lo llevará hasta alcanzar el siguiente objeto. Cuando llegue al nuevo, observará ambos y los comparará durante un buen rato. Empieza a tomar decisiones porque seguro que descarta uno y se lleva el otro para continuar con su marcha.

MEJOR AL AIRE LIBRE

Siempre que sea posible, es preferible hacer **los juegos y las actividades fuera de casa**, por ejemplo en el parque. Estudios realizados al respecto coinciden en afirmar que los niños que juegan a menudo **fuera de casa se enfrentan al mundo real** y aprenden de su entorno de forma activa. Ese ambiente cambiante del exterior, tan distinto de la protección que ofrece el hogar, es un aprendizaje por sí mismo. Sonidos, colores, caras nuevas, voces, etc., todo lo que le rodea es un estímulo fantástico.

PARA EL GATEO, EVITAR LOS CORRALITOS Y ESPACIOS MUY ACOTADOS

Los corralitos para niños son fantásticos **para facilitar la posición de pie**. Pero no sirven para el gateo, sobre todo en esta etapa inicial. Por eso habrá que dejar al niño tumbado en el pasillo de casa y llamarle desde una de las habitaciones: de esta manera tendrá espacio suficiente para gatear a sus anchas y entrenarse, y no estará limitado como en el corralito.

a los 8 meses...

El niño es completamente consciente de sí mismo y quiere que sus padres y cuidadores estén todo el rato pendientes de él. Necesita esa seguridad que le brindan las personas que conoce para desarrollar sus capacidades socio-afectivas. En esta etapa, las alteraciones en su rutina le generan cierto miedo: necesita un tiempo para asumir todo aquello que es nuevo para él.

Los beneficios del gateo

Si a esta edad un niño no hace intentos por gatear, habrá que consultar con el pediatra. El gateo es **esencial para un desarrollo correcto del cerebro**. Esta actividad innata de los niños favorece la relación entre los dos hemisferios cerebrales, además de preparar la vista y las manos para algunas habilidades del futuro, como la escritura.

Muchos estudios avalan la idea de que los problemas de aprendizaje están en ocasiones relacionados con la falta de **organización de los hemisferios izquierdo y derecho** del cerebro.

Repite y repite sonidos

Sigue ampliando su repertorio de vocales, consonantes y sílabas. Cuando aprende una, la repite sin parar una y otra vez. Ahora **le encanta llamar la atención**: es consciente de sí mismo y quiere que los demás se centren en él. Cuando los padres o cuidadores no le miran y están haciendo otras cosas, pronto deberán prestarle atención porque el niño se pondrá a gritar. Y sonreirá cuando se le hace caso. Es decir, su capacidad lingüística le sirve para **reafirmarse**.

Primeros signos de timidez

Aunque en el futuro no sea una persona tímida, en este mes casi todos los niños **demuestran cierto rechazo ante los extraños**. Si una persona que no es de su círculo habitual intenta sujetarlo en brazos, lo habitual es que el niño se aferre con fuerza a sus padres, cuidadores o figuras de apego. No debemos forzarle si él no quiere. Los niños que no son tímidos, en poco rato se relajarán y le tomarán confianza al recién llegado.

Las capacidades

SI ALGO NO LE GUSTA, LO APARTA

Cualquier objeto que no sea de su agrado, lo empuja y aparta de su campo de visión. ¡Lo que no ve no existe! Solo quiere lo que le resulta muy interesante.

CLAROS INTENTOS POR REPETIR SONIDOS

Aunque para hablar faltan meses, ya comienza a imitar sonidos e intenta repetir palabras concretas. Pone mucho esfuerzo en ellas porque quiere transmitir lo que le está pasando.

GRITA PARA QUE LE MIREMOS

Si detecta que no estamos pendientes de él, gritará para llamar nuestra atención: quiere ser el protagonista absoluto. Empieza a ser consciente del poder que tiene el llanto y es capaz de utilizarlo con el único fin de llamar la atención.

DECIDE Y SEÑALA

Señala con el dedo aquello que le interesa, le hace gracia o le llama la atención, ya sean objetos, animales, personas, o incluso algunos alimentos.

MANOS EXPRESIVAS

La habilidad que ha adquirido con las manos le permite dar palmas y agitarlas para saludar de una manera muy básica.

"yo ya puedo señalar los objetos..."

EXPLORACIÓN CONTINUA

Como ya gatea con cierta soltura, puede llegar a cualquier rincón. Le gusta explorar y descubrir.

PRIMEROS INTENTOS POR INCORPORARSE

Desde la posición de sentado, algunos niños en este mes hacen sus primeros intentos por colocarse de pie, agarrándose con ambas manos en algo. La musculatura de las piernas está adquiriendo cierta fuerza, pero todavía no la suficiente para poder andar.

a los 8 meses...

✔ **mente**   ☐ lenguaje   ✔ **motricidad**   ☐ socialización

7 Mucho ejercicio

actividades

¿Dónde está? • *Balón de juego*
• *Tablero de actividades*
• *Aprender a ordenar*
• *Pasar páginas*

En esta etapa los niños tienen una gran agilidad a la hora de desplazarse. Para motivarle y que mejore, lo mejor es que practique. Ofrecemos aquí algunas sugerencias para hacer que los niños más vagos se muevan más.

¿DÓNDE ESTÁ?

Escondemos **su juguete favorito debajo de una alfombra, pero de tal manera que se pueda ver.** Le preguntaremos: «¿Dónde está tu juguete?». Cuando lo descubra, irá a por él. De esta manera, no solo provocaremos que practique el gateo, sino que deberá desplegar sus capacidades de coordinación motora: una vez que alcance la alfombra, tendrá que descubrir cómo extraer el juguete de debajo de ella.

"movimiento constante"

BALÓN DE JUEGO

Situamos al niño sobre un balón en el suelo, también podemos hacerlo sobre un cojín de forma cilíndrica. Sujetándole para que no se caiga ni se haga daño, **le movemos hacia delante y hacia atrás.** Esta actividad fortalece la musculatura del abdomen, necesaria para cuando le toque andar. No debemos realizar esta actividad durante mucho rato para que no se canse en exceso y pierda el interés por ella. Además, cada niño lleva su propio ritmo en la evolución motora, por lo que algunos disfrutarán más que otros con este ejercicio.

La hora del juego...

8 · Hacer cosas con las manos

"mucha **agilidad**
con las manos"

*E*n este mes las manos adquieren mucha importancia porque con ellas el niño puede realizar actividades hasta ahora impensables. Aunque en ocasiones se las sigue chupando (sobre todo cuando le duelen las encías por la salida de los dientes), ahora las emplea para muchas otras cosas.

TABLERO DE ACTIVIDADES

Los tableros o mesas de actividades infantiles son aquellos con botones para luces, música, sonidos de animales, campanitas, etc. Son estupendos para esta edad, pero lo importante es sentarse junto al niño e **ir dirigiéndole mientras comentamos lo que está haciendo** y le felicitamos cada vez que pulsa un botón con su manita. Nuestros comentarios y exclamaciones le ayudan a interiorizar y asimilar todas las opciones que ofrece el tablero de actividades y que va descubriendo poco a poco.

PASAR PÁGINAS

Cualquier actividad cotidiana es fundamental para desarrollar las habilidades motoras de sus manos. Gestos sencillos, como pasar páginas, le suponen un gran esfuerzo. Otra alternativa es con el niño en brazos, **le acercamos al interruptor de la luz** para que lo encienda y apague. Se divertirá al tiempo que comprende que sus actos siempre tienen consecuencias. Cuando encienda el interruptor, diremos: «¡luz!» y cuando la apague, exclamaremos: «¡ya no hay luz!».

APRENDER A ORDENAR

Es evidente que no comprende el concepto de ordenar, pero sí podemos **enseñarle a guardar sus juguetes en una caja** y a colocar bloques de construcción de manera ordenada de mayor a menor o por colores. Nosotros lo hacemos primero y luego le pedimos que lo haga él. Jugando y divirtiéndose, irá aumentando su habilidad con las manos, aprendiendo a guardar cada cosa en su sitio y descubriendo el concepto de «ordenado».

de 9 a 12 meses...

La independencia en esta edad implica:

- Comenzar a gatear
- Tocar y agarrar todo lo que está a mano
- Actuar con un objetivo

actividades

Desarrollo cognitivo
• Psicomotricidad
• Socialización • Manos
• Capacidad
lingüística

Comienza a tener una personalidad propia y adquiere cierta independencia que le lleva a descubrir un mundo nuevo para él. Se queda fascinado con su propia voz, por lo que es una etapa caracterizada por los sonidos y distintas entonaciones.

Desarrollo cognitivo

En este trimestre se empieza a **desarrollar la inteligencia**. Los movimientos y gestos del bebé ya no son meros impulsos, sino que pone **intencionalidad** en todo lo que hace; es decir, tiene una meta. **Es consciente de lo que quiere** y va a por ello.

Socialización

Es un gran imitador: copia algunas acciones de los adultos, como bostezar, parpadear de manera intencionada, reír abiertamente y con carcajadas... Para ir adquiriendo cierta independencia, se debe proteger al niño de posibles peligros, pero también **darle el margen de actuación que le permita descubrir el mundo** por sí mismo e ir madurando acorde a su edad.

Manos

Son sus utensilios más eficaces para investigar y descubrir. En esta etapa la habilidad con las manos se ha desarrollado, pero todavía **no tiene una presión fina**, por lo que hay que estar muy pendiente de todo lo que intenta sujetar. Su tendencia es llevarse cualquier objeto a la boca, sea comestible o no. Y le encanta **observar cómo caen los objetos al suelo** con solo abrir los dedos de las manos.

Capacidad lingüística

Distingue las diversas entonaciones que usan los adultos para expresarse. En sus balbuceos, **copia la manera de expresarse de los adultos** que tiene alrededor. El lenguaje también se aprende a través de la imitación, por lo que debemos hablar en todo momento al pequeño: contándole qué estamos haciendo, cómo preparamos su papilla, describiendo la ropita que le estamos poniendo... Aunque no sea capaz de hablar, sí irá entendiendo cada vez mejor lo que escucha: es el **lenguaje receptivo**.

Psicomotricidad

Es el periodo en el que adquiere una mayor **agilidad a la hora de moverse** gracias al gateo y su posterior capacidad para andar. **Es feliz subiendo y bajando escalones** para obtener puntos de vista distintos de la realidad: su mundo se amplía. Los conceptos «arriba» y «abajo» y «dentro» y «fuera» comienzan a afianzarse gracias a su interés por las **relaciones espaciales**: encaja y desencaja objetos e investiga el interior de cajones y armarios.

de 9 a 12 meses...

La fase en la que se encuentra el niño es muy complicada: en todos los sentidos sigue siendo un bebé, pero ya empieza a despuntar su propia personalidad. Son muy divertidos debido a su espontaneidad: lanzan besitos, pueden chocar las manos con otra persona, imitan a los adultos... Pero no todo se queda en eso, sino que debemos dirigir su aprendizaje de la mejor manera.

Los juegos, las horas de descanso y la comida son aspectos que influyen mucho en su desarrollo cognitivo y en el descubrimiento de sus sentimientos.

JUGUETES RECOMENDADOS

Este trimestre está caracterizado por la exploración, el desarrollo de la agilidad física, el aprendizaje del lenguaje y la independencia. **Los juguetes más útiles** para lograr el correcto desarrollo físico y cognitivo del niño son:

• Carritos, correpasillos y cochecitos para empujar desde la posición de pie.
• Grandes pelotas en las que apoyarse y empujarlas.
• Juegos de construcciones y bloques.
• Casas, barcos y granjas en los que poder introducir figuras realistas de animales y personas, pero que no contengan piezas excesivamente pequeñas.
• Disfraces para adquirir roles distintos y asumir nuevas personalidades, tanto en los movimientos como en las expresiones faciales.
• Escuchar canciones infantiles que le motiven a moverse.
• Instrumentos de percusión que le permitan expresar y exteriorizar su estado de ánimo.

LA HORA DE DORMIR SIN TRAUMAS

El niño comienza a ser consciente de lo que supone irse a dormir: para él no significa descansar, sino separarse de sus padres. No comprende que debe reponer fuerzas y solo sufre porque no va a ver a sus padres durante toda la noche. Para evitar que el momento de irse a dormir sea traumático, lo mejor es seguir estos consejos:
• Cuando se acerca la hora de ir a dormir, la casa debe estar muy tranquila, sin sonidos ni voces elevadas.

• Deberemos ir apagando luces para dejar las imprescindibles y que el niño no perciba un exceso de luz.
• Cuando se acueste en la cuna, podemos quedarnos un rato ordenando su habitación o dejar la puerta entreabierta para que note nuestra presencia cerca y se tranquilice.
• Si llora insistentemente: no le gritaremos ni nos enfadaremos porque no dejará de llorar, ni le sacaremos de la cuna para meterlo en nuestra cama o jugar en el salón.
• Si protesta: hablaremos con él para tranquilizarle durante un par de minutos, pero sin sujetarle en brazos, ni jugar, ni bromear.

DESTRUIR TORRES

Muchos padres quieren que sus hijos no tiren las torres que construyen, pero en esta etapa lo que hacen los niños es derribarlas. No hay que preocuparse: **es un síntoma de desarrollo correcto.**

Si un niño no descansa correctamente, estará tan alterado que le costará mucho aprender cosas nuevas o jugar de una manera divertida y relajada. Y no olvidemos que la hormona del crecimiento actúa fundamentalmente cuando se duerme.

EL HÁBITO DE LA COMIDA

Al pasar a la comida sólida, el niño descubre nuevos sabores y aprende a utilizar los cubiertos. Para que disfrute con la comida, **debemos involucrarle en todo el proceso**: le enseñaremos los alimentos antes de cortarlos y dárselos, intentaremos comer a su lado para que nos imite, dejaremos que experimente y haga mezclas extrañas (por ejemplo, mojar galletas en un zumo de naranja), le permitiremos usar las manos... Todo va dirigido a que integre esta actividad en su rutina diaria y que no le suponga un problema un acto tan cotidiano como es comer.

Para que comprenda la importancia de la alimentación dentro del desarrollo del día a día, lo más aconsejable es que las comidas siempre sean a la misma hora y, si puede ser, en el mismo lugar de la casa. Es una buena opción recurrir a las vajillas de plástico infantiles porque están fabricadas en colores brillates y atractivos para el niño, y algunas incluso ofrecen dibujos y muñecos alegres que le entretendrán.

LA MÚSICA Y EL RITMO

Como cada vez se mueve mejor, está descubriendo el ritmo de la música. Pero cada momento del día tiene su ritmo adecuado para que entienda cuándo es hora de divertirse y cuándo toca estar más tranquilos. Cuando le pongamos una canción o una música, daremos palmas para que vaya sintiendo el ritmo. **Moverse al son de una canción** es una manera estupenda de expresarse usando todo el cuerpo.

Cuando los niños lloran o no quieren comer, muchas veces es por aburrimiento. Por eso debemos ser capaces de entretenerle: cantaremos, pondremos música o algún dibujo animado en la televisión que sea muy infantil y no le excite en exceso. De esta manera tan entretenida irá aceptando nuevos sabores y texturas en su dieta habitual y disfrutará con ellos.

a los 9 meses...

El concepto de bebé comienza a cambiar para pasar a llamarse niño a los 9 meses porque empieza a participar en el mundo que le rodea. Ya puede incorporarse y gatear, lo que le permite descubrir, investigar, tocar y alcanzar. Es una etapa peligrosa porque se llevan cualquier objeto a la boca, pero es bueno que experimente por sí mismo para ir aprendiendo y desarrollando las habilidades propias de su edad.

Aprender a compartir

Aunque no le gusta compartir, debemos comenzar a explicarle lo bueno y necesario que es **dejar los juguetes** y que otros niños se los presten a él:

• **Mejorará su autoestima** y reforzará la seguridad en sí mismo.

• **Aumentará su necesidad** de jugar junto a otros niños y con los adultos.

• **Disminuirán su timidez** y sus miedos.

• **Comprenderá las reglas** sociales que rigen la convivencia. Se integrará mejor en una clase de la guardería.

La presión fina

Es aquella que **permite agarrar objetos pequeños** con las manos. En esta etapa de su vida, el niño comienza a afinar dicha presión, por lo que conviene dejarle que atrape distintos objetos, vigilando siempre muy de cerca porque lo más probable es que se los lleve a la boca para identificarlos.

La habilidad con las manos no solo supone un mejor manejo de las mismas, sujetar con firmeza un juguete o saber usar una cuchara, sino que es un avance en el desarrollo mental gracias a las conexiones cerebrales que implican la acción de realizar movimientos de presión fina.

Empieza a apilar y encajar

La habilidad con las manos, la coordinación de las mismas y la concepción espacial no son aún muy finas, pero se pueden mejorar con algunas actividades y juegos específicos, como los **juguetes de bloques**.

Entender cómo se mete una figura o pieza dentro de otra sirve para muchos aspectos de la vida cotidiana que el niño está descubriendo en esta etapa:

• Comprenderá que existen **distintas formas**, aunque todavía no sea capaz de identificarlas completamente.

• Descubre los **diferentes tamaños** y asume que hay objetos pequeños y otros grandes.

• Adquiere un **mayor dominio de los gestos** y movimientos que realiza, que ya no son meros impulsos sin control alguno.

Las **capacidades**

RESPONDE A ÓRDENES SENCILLAS

Es el momento de comenzar a pedirle pequeñas acciones, muy directas y fáciles de entender: «trae tu cuchara», «agarra la pelota», «no tires tu mantita»... Las entenderá, las hará y se sentirá satisfecho y motivado.

LE ATRAEN LOS NIÑOS MAYORES

Al ser una etapa de aprendizaje constante, prefiere fijarse más en los niños que son mayores que él porque con ellos puede aprender muchas cosas que los de su misma edad todavía no saben hacer.

IMITA RUIDOS

Le encanta escuchar distintos sonidos e intentar imitarlos. Va de los agudos a los graves en un santiamén, según sea lo que ha escuchado.

NO QUIERE COMPARTIR

Todavía no comprende que prestar un juguete no significa perderlo para siempre.

ES MUY SENSIBLE

Le afecta que alguien se enfade con él. Es muy sensible al tono de voz de un adulto enfadado y a su expresión de disgusto: entonces el bebé hará pucheros porque es consciente de que le están regañando.

"yo ya puedo hacer solito..."

PRONUNCIA SU PRIMERA PALABRA

En su propio lenguaje, los niños crean sus palabras para designar objetos reales: son graciosas, sonoras y divierten a los adultos. Cuando sean capaces de hablar correctamente, dejarán de usar estas palabras inventadas que se quedarán en el recuerdo familiar.

REPITE LO QUE SABE QUE HACE GRACIA A LOS ADULTOS

Cuando realiza alguna monería y los adultos sonríen, la repetirá incansablemente para obtener esa gratificación que tanto valora: el reconocimiento de los demás. Son momentos en los que se siente claramente satisfecho consigo mismo y refuerza su autoestima.

9 Jugando con piezas

El niño puede permanecer sentado a esta edad, así como hacer desplazamientos cortos, y ello le permite interactuar con su entorno más próximo al manipular los objetos comunes que encuentra a su lado. Juegos de psicomotricidad fina con las manos, al igual que los sonidos que emiten los elementos que le rodean al golpearlos, facilitan su evolución motora y su percepción personal del mundo.

actividades

Golpeteo incansable •
Pieza a pieza • Toma y dame
• ¡Una torre muy alta!
• Espejito mágico
• Instrumento
básico

GOLPETEO INCANSABLE

Debemos dejar que el niño golpee una pieza contra otra, o bien contra una superficie dura que no se rompa, para que **aumente su control** sobre sus movimientos.

"aprendiendo a encajar"

PIEZA A PIEZA

Una actividad con cierta complejidad para él es dejarle **agarrar objetos** iguales, por ejemplo lápices; después le pondremos delante un montoncito de piezas cuadradas. Cuando haya practicado y dominado la manera de sujetarlos, mezclaremos los lápices con las piezas cuadradas para que se esfuerce en adaptar la posición de los dedos y la mano para poder agarrar cada uno de ellos.

La hora del juego...

10   Imitando

E l espejo le devuelve su propia imagen y él responde positivamente a este estímulo. Empieza a tener consciencia de sí mismo, así como a reconocer a sus seres más cercanos a través del cristal.

INSTRUMENTO BÁSICO

El tambor y el xilófono son instrumentos simples de percusión. Con ellos descubrirá **el mundo de los sonidos y la música**. Si le colocamos delante de un espejo con un xilófono, se mirará orgulloso mientras produce su propia música.

¡UNA TORRE MUY ALTA!

Se entretiene durante bastante rato con los **juguetes de bloques** que se encajan, pero antes le mostraremos cómo hacerlo. Otra opción es dejarles una cajita tipo *tupper* de plástico vacía y limpia para que practique intentando cerrarla. Y la opción más sencilla es levantar una torre. Lo más probable es que la destruya una vez terminada: forma parte de su aprendizaje y no debemos impedírselo.

ESPEJITO MÁGICO

Los niños **aprenden por imitación**. Miran a las personas de su alrededor y descubren cómo se mueven, cómo sonríen y qué cosas hacen. Sentar a un niño delante de un espejo para que se observe y ponga muecas sirve para comprender mejor el mundo que le rodea. Disfrutará mucho reconociendo su imagen.

"como papá"

TOMA Y DAME

Para aprender a compartir por propia imitación, una actividad muy útil es **entregarle un objeto y pedírselo** poniendo nuestra mano. En cuanto nos lo entregue, sonreiremos, le daremos las gracias y al cabo de un rato se lo devolveremos, y vuelta a empezar. Enseñarle a compartir no supone simplemente entregar un objeto a alguien, sino que va más allá: es una manera de adquirir seguridad en sí mismo y de sentir confianza en las otras personas, algo esencial para su socialización y convivencia en el futuro.

a los 10 meses...

*L*a necesidad de comunicarse con los demás va aumentando. Ahora intenta combinar varias sílabas para crear palabras: no le basta ya con emitir un sonido para describir un objeto: precisa algo de vocabulario, aunque sea muy básico. Le entusiasma descubrir lugares desconocidos: un parque nuevo, la habitación de un amiguito, la frutería... Y es capaz de jugar solo periodos de tiempo cada vez más largos.

El significado del gateo

Algunos niños son más perezosos que otros a la hora de gatear, incluso se apuntan a la variante que consiste en desplazarse sentados impulsándose con las piernas. No todos los niños gatean de la misma manera porque no todos se desarrollan igual. La predisposición al gateo está influenciada por el tono muscular, el sobrepeso, la estimulación que recibe de su entorno o la genética. Lo que es evidente es que el gateo va más allá del mero hecho de ir desde un punto a otro:

• **Es una etapa de su evolución**: el gateo supone crecer a dos niveles, el de la psicomotricidad y el cognitivo.

• **Incrementa la seguridad en sí mismo** debido a la independencia respecto a su madre que adquiere con el gateo.

Las canciones y la creatividad

A los niños de esta edad les gusta **seguir la música y mover todo el cuerpo**. El sentido del ritmo es innato en el ser humano, pero no todos lo desarrollamos de la misma manera. Con la música (canciones, instrumentos musicales...) se pueden adquirir habilidades que permitirán desarrollar al máximo las capacidades potenciales que todo niño posee.

Conviene dar la posibilidad al niño de que escuche todo tipo de música y ritmos. Para los momentos de juego y diversión son perfectas las canciones infantiles que utilizan un ritmo muy marcado que se repite y repite. Pero en las horas del día que precisan más sosiego (la comida o al despertarse de la siesta) resulta muy adecuada la música instrumental, sea clásica o más de estilo *new-age*, para que esté más tranquilo.

Aprender a masticar

Es habitual que si ya ha comenzado a comer alimentos sólidos, pierda el interés por la lactancia materna. **Coordinar la masticación es un proceso** y cuanto el niño más avance en él, antes dejará de practicar la succión típica de los bebés. Aunque como adultos no somos conscientes de ello, masticar implica que el cerebro ordene muchas acciones y se activen numerosos músculos de la cara y el cuello.

Para contribuir a este aprendizaje, **limitaremos las horas de uso del chupete**. Pero para ello es imprescindible que se lo expliquemos al niño: «Como ya eres mayor y sabes masticar, vamos a dejar el chupete en la cuna para usarlo solo a la hora de dormir». Habrá que darle al momento el tono solemne que merece y sobre todo que no lo viva como una tragedia, sino como un triunfo en su proceso evolutivo.

Las **capacidades**

MANTIENE CONVERSACIONES EN SU LENGUAJE

Aunque para los adultos resulta absolutamente incomprensible, el niño mantiene conversaciones en su particular lenguaje. No se entiende lo que dice, pero sí distinguimos las modulaciones y entonaciones que realiza en el sonido. Y a él le gusta tanto escucharse que a veces se parte de risa cuando dice estas palabras.

"yo ya puedo **ponerme de pie...**"

DICE ALGUNA PALABRA COHERENTE

Suelen ser palabras con dos sílabas, dichas como en dos tiempos, separando una de otra: «pa-pá», «ma-má», «te-te»...

GATEA MUY RÁPIDO

Como cada vez va siendo más fuerte y adquiere una mayor coordinación motora, gatea de una manera muy ágil. Se ha convertido en un excelente explorador que sube y se mete por todas partes.

GRAN ESCALADOR

Las escaleras tienen un atractivo inmenso para los niños de esta edad. Es capaz de trepar por los escalones, pero para bajar se deja caer resbalando. Todavía no está capacitado para bajar de otra manera, antes debe practicar mucho.

SE SOSTIENE CON UN PUNTO DE APOYO

AL OÍR SU NOMBRE, RESPONDE

Ha llegado el momento en el que es más consciente de sí mismo. El primer paso evidente es que es capaz de responder cuando oye su nombre: se gira hacia la persona que lo dice, o simplemente sonríe a modo de respuesta. Incluso deja lo que está haciendo cuando es llamado por alguien de su entorno.

Basta con que se agarre al borde de una mesa o a la pata de una silla para poder sostenerse de pie de una manera relativamente estable.

11 Aprendiendo con la música

Una de las actividades favoritas de los niños en este mes es escuchar música e intentar reproducirla. Son muchos los beneficios que ofrece una actividad en principio tan sencilla como esta. A los pequeños les encanta que las personas de su entorno les presten especial atención, sobre todo los padres, por eso para potenciar su creatividad y su inteligencia emocional, les sentamos en nuestras rodillas y les cantamos exagerando mucho nuestras expresiones faciales.

actividades

¡A bailar! • Un músico en potencia • Gatear junto a él • Carrera de obstáculos • ¡Un cubo con pelotas de colores! • Cada día, algo nuevo

¡A BAILAR!

Aunque no puede realizar movimientos concretos como el giro de cadera, debido a su todavía primario equilibrio, sí puede **doblar y estirar las rodillas y agitar todo el cuerpo**: es su forma de bailar. Ponerles música todos los días es como si les diéramos una clase de evolución psicológica, de coordinación física y ¡de alegría!

"tengo mucho ritmo"

UN MÚSICO EN POTENCIA

Le facilitamos algún **instrumento de percusión** (¡aunque nuestros vecinos nos odien!). Vale desde una caja de cartón vacía y una cuchara de palo hasta un tambor de juguete. Le indicamos que solo golpee el tambor, nunca el suelo. De esta manera aprenderá ritmo y a realizar un gesto muy preciso para golpear en un lugar determinado.

La hora del juego...

12   Incentivar el gateo

Gatear es coordinar, gatear es pensar, gatear es explorar, gatear es descubrir... en definitiva, gatear es avanzar en todos los sentidos y capacidades. Si es un niño vago, hay que ponerle a gatear todos los días. Y recuerda que los zapatos dificultan el gateo, mejor descalzo o con calcetines.

GATEAR JUNTO A ÉL

Ponte a su altura, es decir, a cuatro patas y ¡a gatear! Podéis hacer carreras, o persecuciones. Como **los niños aprenden por imitación**, bastará con que te mire para interiorizar la coordinación necesaria para realizar el movimiento del gateo.

CARRERA DE OBSTÁCULOS

Deja por el suelo de la habitación diversos objetos: un cojín, un peluche, su mantita y al final su juguete favorito. El niño irá sorteando los obstáculos. No solo **estimularemos su coordinación**, sino que tocará las distintas texturas de las cosas que hemos colocado y aprenderá a distinguirlas. Todo son beneficios con esta sencilla actividad.

CADA DÍA, ALGO NUEVO

Les encanta descubrir, así es que ponle delante, a un par de metros de distancia, objetos que desconozca y nunca haya visto: pompas de jabón, una caja de colores, un rodillo, un adorno brillante, un cuento, un collar llamativo... Será como ponerle el anzuelo perfecto para que gatee y **consiga una mayor seguridad**.

¡UN CUBO CON PELOTAS DE COLORES!

Unas pelotas de colores delante suyo: con un leve empujón el cubo rodará, el niño se acercará de nuevo a el gateando, otro empujón y a rodar. Es un juego simple, pero enormemente eficaz para **adquirir agilidad y rapidez** a la hora de gatear.

"el gateo es muy útil"

a los 11 meses...

Quiere ser mayor y no sabe cómo: el niño es consciente de sus capacidades, pero no siempre las puede aplicar correctamente. Esto le lleva a enfadarse consigo mismo, pero también a intentarlo de nuevo. Se sentirá muy satisfecho cuando lo logre. Los adultos debemos animarle en cada intento que hace porque eso reforzará su autoestima y no dejará de intentarlo.

Procesar las palabras

Aunque no ha llegado el momento de hablar de una manera legible, sí ha comenzado el proceso de aprendizaje del lenguaje. Y a este proceso los padres y cuidadores deben contribuir:

• **Hablar con el niño constantemente** porque irá aprendiendo y memorizando palabras.

• **Entonar de una manera exagerada**, por ejemplo las frases interrogativas y las exclamativas.

• **Esperar respuesta**: después de plantearle algo al niño, nos quedamos callados mirándole y le damos la oportunidad de respondernos (en su lenguaje). ¡Esta respuesta no se hará esperar!

Reabastecimiento emocional

El niño circula por toda la casa para descubrir y ponerse a prueba. Se siente mayor e independiente, pero es habitual que de repente sienta miedo y comience a llorar. Bastará con que nos acerquemos a él o **nos pongamos en su campo de visión** para aportarle la seguridad que momentáneamente ha perdido. Como no le sucede nada, es preferible no interrumpir su exploración sujetándole en brazos demasiado rato. En este mes la madre sigue teniendo un papel esencial en su evolución vital.

Una marcha muy especial

Antes de saber caminar de frente, el niño lo hará de lado, y **reforzará la musculatura** lateral de las piernas y el tronco, lo que garantiza una correcta posición de la pelvis. Si camina de manera lateral es que ya le falta poco para hacerlo de frente. Pero antes debe dominar la marcha hacia el lado derecho y la del lado izquierdo. Es la manera que tiene de **dominar el equilibrio**, tan necesario para poder caminar.

Para saber si está listo para andar solo o todavía le falta (cada niño tiene su ritmo de desarrollo), basta con colocarle de pie sujetando sus brazos hacia arriba: si desplaza la cadera sin mantenerla en su sitio, el niño no está listo para caminar solo, todavía le falta tiempo.

Las capacidades

PRESIONA CON HABILIDAD LOS BOTONES

Su habilidad con las manos es cada vez mayor y tiene más control sobre sus movimientos con los dedos. Le entusiasma apretar los botones del mando o los interruptores. Debemos tener mucho cuidado con los enchufes.

ESCUCHA CON ATENCIÓN CUANDO SE LE HABLA

Pone tanta atención que parece que lo entiende todo. Además, va imitando las expresiones del adulto que le habla: de preocupación, de alegría, de sorpresa, de enfado.

NO INTERACTÚA

Aunque le gusta estar con otros niños, todavía no es capaz de interactuar con ellos. Sigue prefiriendo estar con niños mayores que él porque le aportan mucha seguridad.

"mira qué bien lo hago..."

REALIZA ACCIONES PARA RECIBIR ALABANZAS

De manera intencionada, busca la aprobación de los adultos. Por eso cuando hace algo nuevo, mira al adulto esperando gestos y palabras de halago: cuanto más exageradas sean, mejor se sentirá.

MUESTRA BRUSCOS CAMBIOS DE HUMOR

No hay que olvidar que el niño se encuentra inmerso en una etapa de cambios constantes y que sigue siendo un bebé, con sus miedos, su angustia, sus nervios, su euforia... que todavía no puede identificar.

RECONOCE EL NOMBRE DE LOS OBJETOS COTIDIANOS

Vaso, manta, chupete, pañal, esponja... Es capaz de entregarnos esos objetos cuando se los pedimos, pero otra cosa es que quiera hacerlo. Aunque no lo haga, es preferible insistir y que memorice el nombre del objeto y acabe realizando lo que pedimos a no estimularle nada.

13 Manos exploradoras

Seguridad, seguridad y seguridad. Eso es lo que buscan los niños a esta edad. Parte de esa seguridad se la dan los objetos habituales en su vida: cuchara, manta, esponja, pañal, pelota... Aprovechemos la querencia que tiene hacia dichos objetos para que siga aprendiendo de una manera equilibrada.

actividades

Interruptor de juguete •
Libros con sonidos y texturas
• Moverle el pie • Camina
si quieres esto • Rodar
una pelota y tomar
decisiones

INTERRUPTOR DE JUGUETE

Para no impedir su **desarrollo cognitivo y la habilidad con las manos**, le dejamos un mando de la televisión viejo que no usemos. También podemos crear un interruptor: basta con una tabla en la que atornillamos un interruptor, bombillas y una pila.

"aprendiendo a tocar"

LIBROS CON SONIDOS Y TEXTURAS

Los libros con botones, sonidos y texturas son una **opción excelente de aprendizaje** a esta edad porque disfruta enormemente pulsando botones y escuchando. Miraremos y tocaremos con él un libro con texturas variadas para que **aprenda a distinguirlas**. Otra opción es que en el parque o el jardín, recojáis juntos diversos objetos para tocarlos y diferenciar su forma y textura: hojas, flores, palos, piedras... ¡No se cansará de hacerlo!

14 Reforzar la musculatura

Caminar implica coordinación y trabajo muscular. El primer paso para caminar de frente y sin sujeción alguna necesariamente pasa por hacerlo de manera lateral y con puntos de apoyo, que pueden ser muebles, paredes o la mano de un adulto.

CAMINA SI QUIERES ESTO

Le colocamos en un extremo de una mesa baja y al otro lado pondremos uno de sus juguetes favoritos; él avanzará poco a poco hasta alcanzarlo agarrándose, mientras **va alternando las piernas**. Cuando domine esta marcha lateral en línea recta, podemos pasar al siguiente nivel: colocar un objeto de tal manera que tenga que superar la esquina de la mesa realizando un cambio de dirección en su marcha.

MOVERLE EL PIE

La marcha lateral se hace de manera cruzada. La primera extremidad que avanza es el brazo más cercano al objeto que se quiere alcanzar. Después lo hace la pierna más alejada, luego el otro brazo y finalmente la pierna más cercana al objeto. Si al mover el primer brazo, el niño se queda bloqueado, nosotros **le desplazamos pasivamente el pie** contrario: basta con empujarlo suavemente, pero sin llegar a que el niño pierda en ningún momento el equilibrio y sobre todo que no sienta miedo y deje de intentarlo.

RODAR UNA PELOTA Y TOMAR DECISIONES

Uno de los juegos más sencillos es hacer **rodar una pelota para que vaya a buscarla**. Para ello deberá tomar decisiones: si va a gatas, si se acerca a ella andando y agarrándose en los muebles... Es una manera de ponerle a prueba a la vez que se divierte. Si decide que va a gatas y no caminando como queremos, no le regañaremos ni nos mostraremos frustrados.

a los 12 meses...

El niño de esta edad vive un conflicto permanente. Quiere decir cómo se siente y no puede porque su capacidad verbal es todavía muy limitada. Por eso son tan habituales los enfados y los golpes de genio: cuando está cansado, tiene hambre o algo no le sale bien, demuestra un mal carácter que tiene más que ver con su incapacidad para expresarse que con su temperamento real. Por otra parte, le gusta interactuar con otros niños, aunque se canse pronto de jugar con ellos.

Los miedos

El temor al abandono y ver alejarse a los padres continúa. Si un niño llora cuando su madre se aleja, **no debemos regañarle** porque este acto forma parte de su desarrollo psicológico. Para que no sufra al dejarle en la guardería:

• **Aunque llore o haga pucheros**, nosotros mostraremos una gran alegría durante el trayecto a la guardería.

• **Al dejarle en la guardería**, repetiremos varias veces frases tranquilizadoras del tipo «luego vengo a buscarte», «esta tarde vamos a jugar juntos», «cuando salgas de la guardería, iremos juntos a...».

• **Nunca nos burlaremos de sus miedos** ni los despreciaremos.

• **Cuando sea capaz de controlar sus lágrimas**, le alabaremos de manera exagerada para darle confianza en sí mismo.

Distintos ritmos

Algunos niños ya son capaces de caminar solos. Los que no pueden hacerlo seguramente gatean muy bien porque disfrutan ya de una gran coordinación. Y seguramente lo podrán hacer en los próximos meses. El ritmo de habilidad motora es diferente en cada niño, **no existe un baremo estándar**: hay unos meses de diferencia evolutiva entre unos y otros. Lo mejor para la tranquilidad de los padres es no compararle con otros niños.

Sociabilidad

A punto de cumplir su primer año de vida, el niño va adquiriendo mayor seguridad en sí mismo y eso le permite **relacionarse de manera directa con las personas adultas** de su entorno. Una de las actividades con las que más disfruta es interactuando con sus padres: constantemente les reclama para jugar. En cuanto a los otros niños, ahora prefiere jugar con los de su mismo sexo.

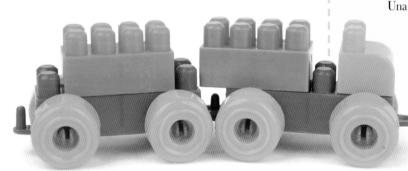

Las capacidades

ALGUNOS NIÑOS YA CAMINAN SOLOS

Aunque muchos niños siguen gateando, algunos son capaces de caminar sin puntos de apoyo. Y si les falla el equilibrio, se sentarán en el suelo dejándose caer de una manera muy suave y controlada.

CONOCE LOS NOMBRES DE LA FAMILIA

Cuando alguien menciona el nombre de un familiar, el niño dirige su mirada a esta persona porque ya identifica a cada uno. Está muy integrado en su entorno.

DEMUESTRA CARIÑO

Ya no es el único que recibe mimos y besos, sino que ahora realiza evidentes muestras de cariño: suaves caricias, besitos, abrazos espontáneos...

JUEGA CON NIÑOS

Si un niño de un año se encuentra en un grupo de niños, lo habitual es que prefiera jugar con los de su mismo sexo. Esta tendencia irá cambiando con el paso de los meses.

"yo también lo sé hacer"

HACE JUEGOS PARTICIPATIVOS CON SUS PADRES

Los padres son sus grandes compañeros de juego: se siente feliz y seguro cuando estos se sientan en el suelo y participan de las actividades. Les imita en todo y despliega todo su repertorio de gestos, sornrisas y habilidades.

UTILIZA PALABRAS

El vocabulario más básico le sirve para comunicarse y pedir las cosas que necesita en cada momento.

TIENE GOLPES DE GENIO CUANDO ESTÁ CANSADO

No es capaz de controlar ni dominar los momentos de cansancio y hambre, por lo que es habitual que llore desesperadamente y tenga golpes de genio fuerte. Con un poco de cariño y transmitiéndole tranquilidad, estos episodios pasan enseguida.

15 Identificar personas y personajes

Una parte importante del aprendizaje del niño radica en saber reconocer e identificar a las personas de su entorno, los personajes de sus cuentos favoritos y los animales que más le impactan. Aunque los irá reconociendo de una manera natural, recurriremos a unas sencillas actividades para estimular sus ganas de saber más.

¡ERES TÚ EL DE LA FOTO!

Mostrarle un álbum con fotografías de los familiares y amigos diciendo sus nombres servirá para que aprenda **a decir sus nombres** de una manera lúdica.

actividades

¡Eres tú el de la foto! •
¡Cuéntame un cuento! • Solo
con mi muñeco •Esconderse
• Cambio de
habitación

¡CUÉNTAME UN CUENTO!

Una de las mejores maneras de aprender es con los cuentos. Sentarse junto a nuestro hijo con un cuento servirá para que **adquiera vocabulario**, discierna sobre las distintas figuras y dibujos que ve, aprecie las modulaciones de la voz del adulto, etc. Debemos **dejarle que pase él las páginas**. Aunque sencilla, esta acción es complicada para él y le dará seguridad en sí mismo.

La hora del juego...

16 Desterrar el miedo

A medida que su capacidad cognitiva se va desarrollando, surge el miedo. El niño empieza a ser consciente del dolor, el cansancio o la sensación de abandono. A través de los juegos, los padres transmitirán seguridad a su hijo y esta le protegerá frente al miedo.

"no quiero estar solo"

ESCONDERSE

Jugamos a escondernos tras una puerta, esperamos unos segundos y aparecemos de nuevo ante su campo de visión. Un juego tan sencillo **aporta seguridad** al niño, quien comprende que su madre o padre no se ha alejado, sino que vuelve a aparecer una y otra vez.

CAMBIO DE HABITACIÓN

Cuando esté entretenido en una habitación, nos iremos a otra y esperaremos. En el momento en que se de cuenta de nuestra ausencia, **dejaremos que nos busque** para que supere su propio miedo a la soledad: él solo se enfrentará al misterio de descubrir dónde estamos.

SOLO CON MI MUÑECO

Debido a los miedos que padece, el niño tiende a tener un peluche, una mantita o **un objeto favorito al que recurre cuando siente angustia**, está cansado o necesita mimos. No debemos impedírselo porque es una manera de superar los momentos de llanto y buscar una manera de consolarse y sentirse protegido.

de 13 a 16 meses...

Los cambios de esta etapa suponen:
- Unir palabras a modo de frases
- Ganas de interactuar con otros niños
- Caminar solo o de la mano

actividades

Desarrollo cognitivo
• Psicomotricidad
• Socialización • Manos
• Capacidad
lingüística

Superar los 12 meses es como si se cruzara una frontera: de chupar la tetina del biberón se ha pasado a la cuchara, del balbuceo ha pasado a decir alguna palabra legible, y de gatear o arrastrarse... ¡ahora puede caminar solito!

Capacidad lingüística

La evolución es evidente: más vocabulario, intento por unir palabras, mejor pronunciación. Sobre todo es capaz de **sincronizar las palabras que dice con los gestos** que hace. Cuando dice «no», acompaña esta palabra con el giro de la cabeza hacia un lado y el otro.

Socialización

En esta etapa, **la figura del padre adquiere mayor importancia**. Antes la madre era la protagonista absoluta de su vida y hacia ella centraba toda su atención porque le protegía y le aportaba mucha seguridad. Pero ahora es el padre el que despierta todo su interés ya que es una figura que le resulta más activa y estimulante. **Los roles de los padres se van definiendo** para él de la siguiente manera: la madre representa la tranquilidad y el hogar, mientras que el padre es el incansable compañero de juegos.

Desarrollo cognitivo

Atrás quedó la forma repetitiva de hacer o hablar. Si antes se enfrascaba en realizar la misma acción una y otra vez, ahora no es así. De repente el niño ya no explora el mundo como antes, sino que es más «científico», es decir, **busca las causas, observa,** analiza, actúa de otra manera y vuelve a analizar. Muchas veces se quedará parado pensando en lo que acaba de hacer: **comprende que sus distintos actos tienen diferentes resultados**. A partir de ahora aleja la atención que ponía en su cuerpo para centrarse en el entorno.

Manos

En esta etapa de su desarrollo es cuando puede empezar a **manipular muy bien los objetos y juguetes**. Ya no le basta con golpearlos o chuparlos como sucedía en los trimestres anteriores, sino que ahora quiere abrirlos, desmontarlos y seguir descubriendo: se inicia un nuevo ciclo.

Psicomotricidad

Tras un tiempo arrastrándose, girando, rodando y gateando, el niño está preparado para caminar porque **el cuerpo está listo para ejecutar las órdenes que el cerebro le da**. Lo habitual es que al inicio de este trimestre lo haga de la mano de un adulto. Pero al final del trimestre (algunos hasta los 18 meses no pueden) ya es capaz de hacerlo solo. Necesita confianza y toda nuestra motivación. Es un aprendizaje innato en todo niño, pero viene bien disfrutar de **buenas dosis de confianza** y no tener miedo. Él decidirá cuándo y dónde dará su primer paso solo. A partir de entonces, el mundo que le rodea resultará mucho más atractivo.

de 13 a 16 meses...

Nuestro hijo ya no es un bebé, aunque en algunos momentos su actitud sea esa. Ha aprendido a andar solo o de la mano y está haciendo esfuerzos por expresarse con el habla, que mejora a un ritmo vertiginoso. Su necesidad por descubrir todo lo que hay en su entorno y de comunicarse y establecer relación con otras personas, ya sean adultas o niños, ha aumentato exponencialmente.

Los cambios del niño se aprecian de manera evidente en su forma de hablar y en la manera de caminar. Pero estos dos avances tan importantes para él tienen que ver con **la visión que tiene de sí mismo**. Ha dejado de observarse todo el tiempo para empezar a ver (y comprender) el mundo que le rodea. Su interés ya no está centrado en descubrir las partes de su cuerpo (los pies, las manos...). Querer mirar más allá es un síntoma claro de evolución.

Y en cuanto a su personalidad, las investigaciones realizadas afirman que entre los 12 y los 18 meses el niño empieza a demostrar preferencia por unos juguetes u otros. Está en una fase de cambios constantes y sus gustos también van variando a medida que pasan los meses.

UN MUNDO LLENO DE CAMBIOS

Todo está variando a su alrededor, empezando por él. Su **independencia** va siendo mayor: algunos niños ya andan solos y muchos todavía de una mano. Su **alimentación** es distinta: cada vez son más los alimentos sólidos que prueba. Y es capaz de beber agarrando el vaso o la taza con ambas manos. Su **capacidad de comunicarse** cambia casi cada semana. Y **se va haciendo más sociable**: le importa la actitud de los demás hacia él.

Cada uno de estos cambios supone un síntoma en su desarrollo cognitivo, su independencia, su apertura social y la aparición de su personalidad.

LA ACTITUD DE LOS PADRES

El niño **necesita espacio físico y estimulación mental** para completar su desarrollo y definir su personalidad. A veces resulta complicado dejar de verle como un bebé, pero necesita experimentar, equivocarse, caerse, tropezarse... siempre dentro de un ámbito de máxima seguridad. Es la etapa en la que se producen muchos accidentes y caídas.

Además del cariño envolvente que le dan al niño, lo que esta etapa requiere de los padres y cuidadores es:

- **Facilitarle juguetes relacionados con la locomoción** que pongan a prueba su coordinación y mejoren su musculatura tanto en brazos como en piernas. Un andador, un correpasillos o su propia sillita son perfectos.
- **Hablarle correctamente**, no utilizando el lenguaje infantil. El perro no es un «guau-guau», ni el chupete es «tete», ni dormir es «mi-mir»... No pasa nada si él se expresa así, pero los adultos no debemos hacerlo porque ellos nos imitan en todo lo que hacemos y decimos. Si se le habla de manera correcta a un niño, lo más probable es que aprenda a expresarse bastante bien.

AMBIENTE RELAJADO

Para los padres esta etapa significa preocupación por la seguridad del niño. Pero siempre se le ofrecerá un entorno agradable en el que no detecte angustia ni agobio excesivos que le puedan bloquear en su desarrollo.

• **Los cambios serán paulatinos**. Cualquier variación que hagan los padres en la rutina del niño ha de hacerse poco a poco. Los niños pequeños no poseen los recursos psicológicos que disfrutamos los adultos para asumir los cambios. Su manera de expresar dicha contrariedad es a través de los enfados. Como está viviendo unos meses muy intensos, procuraremos que dichas variaciones no sean impuestas a la vez: el niño podría sufrir un bloqueo temporal.

CUIDANDO LA ALIMENTACIÓN

Parte del correcto desarrollo del niño en un nivel psicológico, cognitivo y motor viene influido por una buena, equilibrada y sana alimentación. Para ello seguiremos los consejos del pediatra, que aclarará cualquier duda al respecto.

COLABORAR EN CASA

Para que desarrolle al máximo sus habilidades y su personalidad, los padres harán que el niño realice algunas actividades muy simples, como llevar su vaso de plástico vacío a la cocina. Se sentirá importante y querrá hacerlo todos los días: es su pequeña obligación en casa.

a los 13 meses...

*L*a frontera del año ya ha sido superada. Si antes definir los esquemas evolutivos de los niños era más sencillo porque cumplen unas pautas de comportamiento parecidas, ahora ese margen se amplía a unos meses. No hay que obsesionarse si nuestro hijo todavía no camina solo o no quiere imitar una melodía mientras que otros sí lo hacen.

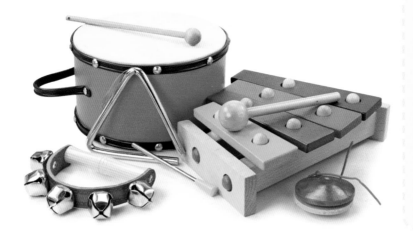

Acumular objetos

Una actividad muy frecuente en los niños y que no significa nada más que está en proceso de desarrollo es la de recoger juguetes u objetos, **recopilarlos y apilarlos**. Son objetos y juguetes muy dispares porque lo que más le interesa es la cantidad: él piensa que cuanto más tenga, mejor.

El poder de la música

*U*no de los grandes componentes en el aprendizaje de los niños es la música. Su influencia va más allá que disfrutar sin más (que no es poco), ya que aporta beneficios demostrados a distintos niveles: psicológico, metabólico e intelectual. La música debe formar parte de la vida cotidiana de los niños, ya sea en casa o en el colegio. Para los pequeños la música es importante porque:

• **Libera las tensiones**, sobre todo en niños especialmente nerviosos.

• **Nivela los desequilibrios generados** por el exceso de energía.

• Incita a estar tranquilo y **conectar con los sentimientos**.

• Cuando padres e hijos escuchan música juntos, bailan o cantan se **refuerzan los lazos afectivos**.

• **Se desarrolla la capacidad sensorial** y así el niño puede comunicarse mejor.

• **Estimula las conexiones cerebrales**.

¡Yo solito!

A esta edad algunos niños ya caminan con cierta soltura, pero otros no. Lo más probable es que lo hagan de la mano del adulto. No debemos forzarle porque si lo que tiene es miedo a sentirse solo, sin un apoyo, lo único que provocaremos es un miedo aún mayor. Y si hace intentos por caminar solo, sin apoyos, le felicitaremos diciéndole que lo ha hecho muy bien, aunque se haya caído. Es habitual que durante los primeros días de caminar solo, **el niño lleve en la mano algún juguetito porque así piensa que está agarrado a algo**. Otros optan por buscar el equilibrio corporal levantando los brazos por encima de su cabeza.

Las capacidades

RECONOCE SU NOMBRE

Cuando escucha su nombre, reacciona. Aunque ya diga algunas palabras, lo más probable es que no sepa pronunciar su nombre de manera correcta. Falta tiempo para que sea capaz de decir su nombre: dirá antes otros.

DA JUGUETES A OTROS NIÑOS

Aunque todavía no juega con los niños de su edad, sí tiene cierta consideración hacia ellos porque es capaz de ofrecerles algunos de sus juguetes cuando le pedimos que lo haga.

"mira qué bien lo hago..."

SUBIR Y BAJAR ESCALERAS

Subir y bajar escaleras continúa siendo un entretenimiento fascinante. Sigue haciendo mejor el acto de subir que el de bajar, para el que se precisa un mayor control corporal y más fuerza muscular.

INSERTA PIEZAS PEQUEÑAS EN OTRAS GRANDES

Empieza a tener habilidad para meter piezas dentro de otras porque su concepción espacial está muy desarrollada. Es una actividad de la que no suele cansarse nunca.

APRENDE PALABRAS

Las 5-6 palabras que dice correctamente las utiliza en el contexto adecuado.

LE GUSTA COLABORAR

Se siente mayor y lo demuestra colaborando en pequeñas cosas, por ejemplo a la hora del baño.

DEMUESTRA CARIÑO

Son habituales las demostraciones de cariño hacia los adultos de su entorno, sobre todo cuando está contento.

HACE GARABATOS

Puede sujetar un lapicero y hacer trazos a modo de garabato, aunque sin mucha precisión.

17 Como los mayores

Los niños aprenden por imitación de los adultos: les encanta hacer lo mismo que ellos y esperan la aprobación de estos. Es su manera de decir «ya soy mayor y yo también puedo hacerlo». Les atrae el mundo de los adultos y desean formar parte de él.

actividades

*Juguetes representativos
• Jugar a las comiditas
• Repite conmigo una y otra
vez • Mayor creatividad •
A bailar todos juntos*

"jugando a **ser mayor**"

JUGUETES REPRESENTATIVOS

Aquellos juguetes que **representan objetos reales**, como ordenadores, teléfonos móviles, o mandos a distancia, son muy apropiados en esta etapa: le permiten adquirir una mayor independencia y seguridad porque se siente integrado entre los adultos.

JUGAR A LAS COMIDITAS

Si la cocina cuenta con suficiente espacio, **destinamos un rincón para sus cacharritos de juguete**. Platos, vasos, sartenes, cubiertos, alimentos de plásticos... servirán para que el niño nos imite mientras nosotros cocinamos. De una manera sencilla comprenderá cuánto trabajo supone cocinar e irá descubriendo los alimentos: cada uno con su color, tamaño y textura. Jugando y disfrutando, integrará la comida en su rutina y ya no la verá como algo extraño ni ajeno a él.

18 La música

*L*os beneficios que aporta la música a todos los niveles están ampliamente demostrados en numerosos estudios. Integrar la música en el día a día del niño es fácil y necesario para una evolución sana y equilibrada.

MAYOR CREATIVIDAD

Mientras realiza actividades como jugar o pintar **ponemos música tranquila de fondo**. Es una buena ocasión para acostumbrarle a escuchar música de diferentes estilos: clásica, jazz, soul... Está ampliamente demostrado que la música estimula la creatividad.

A BAILAR TODOS JUNTOS

Los niños de esta edad no suelen jugar juntos por propia iniciativa: no les interesa hacerlo y se suelen ignorar unos a otros. Pero sí podemos generar la ocasión para que bailen juntos, aunque sea sin tocarse. A tu hijo y sus amigos les ponemos alguna canción infantil con un ritmo marcado y repetitivo y bailamos junto a ellos: se sentirán libres, felices, **establecerán lazos afectivos** y en general **mejorarán sus relaciones sociales**.

REPITE CONMIGO UNA Y OTRA VEZ

Ponemos siempre la misma canción infantil y hacemos **un par de movimientos sencillos que repetimos todo el rato**. Le pedimos al niño que los haga igual. De esta manera mejora su expresión corporal y su coordinación. Además de estos beneficios, el baile siempre es muy útil para el desarrollo psicomotor y la socialización.

a los 14 meses...

En este momento de su vida, el niño empieza a mostrar su personalidad. Los padres y cuidadores deberán dejar que se desarrollen en este sentido y no coartarles. Solo intervendrán cuando la actitud del niño sea agresiva y violenta para enseñarle que eso no se debe hacer.

Esto me gusta, esto no me gusta

Empieza a saber qué es lo que quiere y lo que no: ya **está formando su personalidad**. A los padres les sorprenden y hacen gracia muchas de sus elecciones, pero son suyas, por lo que intervendrán lo justo. Se les puede sugerir e intentar dirigir, pero es preferible que aprendan a elegir y definir sus gustos y preferencias, que irán conformando su personalidad. Él es único y no tiene por qué ser un calco de los padres.

Expectativas frustradas

Los padres han puesto unas expectativas en sus hijos que quieren ver cumplidas, y no siempre sucede como desean. Además, en este trimestre suele haber mucha diferencia entre las habilidades de unos niños y las de otros. En este sentido, los padres nunca deben:

• **Comparar** a su hijo con otros niños, y sobre todo cuando el suyo está presente. Aunque no hable, el niño es capaz de entender todo.

• **Definirle como «vago»** si todavía no habla o no camina solo.

• **Quitar importancia** a sus pequeños (pero importantes) logros.

• **Corregir sus errores**. Por ejemplo, si dice «plota» en vez de pelota. Lo mejor es contestar «Sí, pasa la pelota» para que escuche la pronunciación correcta y la vaya aprendiendo.

Las **capacidades**

MAYOR HABILIDAD PARA CAMBIAR LA MARCHA

Si no lo ha conseguido, se acerca el gran momento: ser independiente para desplazarse. Si ya camina solo, puede realizar variaciones, como parar, cambiar de sentido y acelerar la marcha.

RECHAZO DE LOS EXTRAÑOS

Todavía se muestra reservado con los extraños, pero ya no está tan nervioso ni tenso con su presencia como sucedía unos meses antes, ya que se va acostumbrando.

"yo ya puedo comer solito..."

RECHAZA LA AYUDA DE LOS ADULTOS

Cada día intenta hacer algo nuevo por sí mismo rechazando la ayuda de los adultos porque disfruta mucho de su independencia. Quiere demostrar que es capaz de hacer todo solo y que no necesita a ningún adulto pendiente de él.

IMITA LAS MELODÍAS

Disfruta escuchando música, de hecho imita muy bien las melodías. Aunque no habla, hace verdaderos esfuerzos por cantar: entona igual que la canción que está escuchando e intenta decir palabras. Es un avance muy destacado en su desarrollo.

IDENTIFICA PARTES DEL CUERPO

Cuando alguien menciona partes de su cuerpo, las identifica correctamente, las señala o toca con sus manos: cabeza, piernas, tripa...

FASE DE QUERER ESTAR CON UNO DE LOS PROGENITORES

Lo normal es que sea la madre el progenitor que escoja para estar con él. El otro no debe preocuparse porque se trata de un periodo temporal debido a su evolución. Más adelante, le gustará estar con ambos, tanto por separado como todos juntos.

19 Actividad física para andar

𝓛os juegos y las actividades que proponemos serán muy eficaces para los niños que todavía no se han lanzado a caminar solos, pero también para aquellos que sí lo hacen porque de esta manera refuerzan la musculatura de las piernas y mejoran su coordinación.

actividades

Caminando, caminando • Música, siempre • Ofrecerle variedad de juguetes • Jugar por turnos

MÚSICA, SIEMPRE

Poner música a los niños que comienzan a andar solos es una manera de **estimularles para que se muevan**. Además, está comprobado que la música (tocar instrumentos, cantar canciones, bailar...) potencia su creatividad.

CAMINANDO, CAMINANDO

Dejaremos que utilice su propia silla de paseo **para desplazarse de pie**: se apoya en ella y esto le da seguridad. También son muy eficaces los carritos de juguete: tanto si es niño como si se trata de una niña, empujar un carrito con un muñeco dentro supone para ellos adquirir el rol de persona adulta que tanto admiran. Los andadores o las carretillas de juguete son otras opciones a tener en cuenta para que practique.

La hora del juego...

20 Definiendo su personalidad

*T*u hijo ha pasado de ser un bebé a convertirse en un niño y eso implica definir sus gustos y preferencias. En esta etapa los padres y cuidadores deben dirigir los juegos de los niños, pero dejándoles libertad de actuación porque están en la fase de descubrir y experimentar, lo que les llevará a definir su personalidad.

OFRECERLE VARIEDAD DE JUGUETES

La experiencia nos dice que **los niños buscan más los juguetes con ruedas y movimiento, mientras que las niñas prefieren las muñecas.** Pero eso sucede cuando son más mayores, no en este momento. Por eso el consejo es: ofrecerle juguetes variados. Muñecas, peluches, piezas de construcción, coches, balones... El niño tomará sus propias decisiones y así, de una manera natural y sin imposiciones, irá definiendo sus gustos y su personalidad. Una de las tendencias más sexistas que ha impuesto la tradición es limitar los colores por sexos. Para evitar esta actitud ofreceremos al niño varón juguetes de color rosa y muñecas con lacitos. Y a la niña le pondremos delante otro tipo de juguetes, como un camión de bomberos o figuritas de animales de la selva.

JUGAR POR TURNOS

Entra dentro de la normalidad más absoluta que a esta edad **los niños no presten los juguetes.** Aunque se nieguen, los padres le explicarán la importancia de compartir e intentarán que lo hagan. Algunos días sí lo harán, pero otros muchos no. Los adultos le explicarán que si prestan sus juguetes, se pondrán muy contentos porque eso es actuar como niños mayores y no como un bebé. De todas formas, es preferible no forzar en exceso: si está cerrado en banda, no se logra nada insistiendo.

a los 15 meses...

Cada vez es más fuerte, ágil y tiene muchas ganas de explorar. Lo que supone un avance evidente en su desarrollo psicomotor implica una serie de peligros, por lo que padres y cuidadores deben estar muy pendientes del niño. En ningún momento de esta etapa el exceso de preocupación de los padres por la seguridad del niño debe impedir que este explore, descubra y aprenda.

Los celos

A esta edad es habitual que un niño sienta ciertos celos cuando sus padres dedican atenciones a otros niños. Esto **no supone que en el futuro vaya a ser un niño especialmente celoso**, pero sí es aconsejable erradicar dicha actitud. El niño ahora es consciente de su propia persona y la de los padres, ya no es una prolongación física de la madres. Como acaba de descubrir la figura de los padres y comprende lo importantes que son en su vida, **tiene miedo a perderlos**. Los celos suponen inseguridad y esta actitud se agrava cuando hay hermanos.

Para aportar seguridad en sí mismo a cada niño los padres deben:
• **Dedicarle unos minutos** para jugar exclusivamente con él.
• Y **dedicar otro rato a jugar con todos** los hermanos a la vez.
• **No ceder a sus pucheros** si reclama atención cuando se está con otros niños.
• Si sujetamos un bebé en brazos, **hacerle partícipe**, pero procurando que no le haga daño alguno.
• Y **jugar y jugar** porque los niños que juegan están más felices, y los niños felices en general se llevan mejor con sus compañeros porque tienen una autoestima alta.

La timidez

La tendencia a la timidez o introversión tiene **un marcado componente genético**. Es función de los padres enseñar las habilidades sociales que impidan que el niño tímido se vea limitado a la hora de disfrutar de nuevas experiencias. La timidez no se puede erradicar, pero **hay que ayudar al niño muy tímido a reforzar su autoestima** y potenciar sus capacidades sociales.

Diferenciar entre situaciones puntuales algo incómodas para un niño de la auténtica timidez se puede hacer si detectamos:
• **Muestras evidentes de estrés y agobio**: agita intensamente brazos y piernas, y llora siempre que se enfrenta a personas o situaciones nuevas.
• **Se aferra muy fuerte a la madre o al padre** poniéndose rojo al participar en juegos en grupo o en la guardería.
• **Tarda más de 15 minutos en sentirse cómodo** ante la presencia de alguien nuevo para él.

Las capacidades

ES MUY CELOSO RESPECTO A LOS PADRES

Se muestra muy celoso cuando los progenitores están con otros niños. Harán todo lo posible por alejar al «intruso» de sus queridos padres. Y si lo consigue, se sentirá muy satisfecho consigo mismo.

CANCIONES Y RIMAS: SIEMPRE LAS MISMAS

Le entretiene escuchar siempre las mismas canciones y las mismas rimas. Si detecta cambios, se enfada y exige que se lo contemos como siempre porque es lo que conoce.

FUERZA EN LAS MANOS

Si agarra un juguete u objeto, no se le cae porque lo sujeta con mucha fuerza. Le entusiasma llevar siempre algo en la mano.

MÁS PALABRAS

Como ha sucedido en los anteriores, en este mes aprende nuevas palabras. Está ampliando su vocabulario: cada mes introduce nuevas palabras que amplían su dominio lingüístico.

"casi no me caigo al caminar"

INCONSCIENCIA ANTE EL PELIGRO

Quiere investigar todo, llegar a cualquier lado, explorar y tocar... y en ningún momento piensa que pueda haber peligro. Es una etapa en la que padres y cuidadores pondrán su máxima atención para evitar que el niño sufra accidentes más o menos peligrosos.

SI YA CAMINA SOLO...

Significa que su equilibrio ha mejora notablemente. Por eso el número de caídas al caminar solo se reduce considerablemente. Y demuestra mucha habilidad a la hora de esquivar los obstáculos gracias a la fuerza física y la coordinación de las que disfruta en esta etapa tan vital e intensa.

21 Aprender a vivir en sociedad

*L*os niños muy tímidos son felices si no se les obliga a nada, pero así no podrán crecer. Deben aprender a convivir con otros adultos y otros niños, y a someterse a situaciones nuevas para poder solventarlas de la mejor manera.

actividades

Intentarlo de nuevo • Juegos en el parque • Cantar dando palmas • Primeros dibujos • Actividad de precisión • Juguetes con botones

INTENTARLO DE NUEVO

Si al realizar cualquier actividad, el niño sufre por no hacerla bien y se retrae, debemos animarle diciendo: «**No pasa nada**, vamos a intentarlo de nuevo». Así no tendrá la limitante sensación de derrota o fracaso.

JUEGOS EN EL PARQUE

Cuando vayáis al parque, aléjate un poco para que se vea forzado a **resolver situaciones** como dejarle un juguete a otro niño o que un niño desconocido le abrace de repente. Debemos evitar la sobreprotección porque, aunque la intención sea buena, el resultado es que el niño no saldrá de su retraimiento. No hay que sobreprotegerle porque no es una víctima de nada.

La hora del juego...

22 Coordinación con las manos

*L*as manos y los brazos son cada vez más fuertes, pero debe aprender a controlar dicha fuerza. Lo mejor son actividades con las que el control y la coordinación sean desarrollados al máximo.

"mira qué bien lo hago"

PRIMEROS DIBUJOS

No está listo para sujetar correctamente el lápiz ni para realizar dibujos figurativos. Pero sí es el momento apropiado para ir enseñándole a agarrar un lápiz y hacer una raya en un papel. De esta manera **se irá acostumbrando** a manejar con cierta destreza el lápiz, las ceras o los rotuladores.

CANTAR DANDO PALMAS

Ha aprendido a dar palmas y se siente feliz e importante por ello. Para motivar dicha actividad, cantaremos junto a él y daremos palmas y le pediremos que nos imite. De esta forma tan lúdica, descubrirá **cómo seguir el ritmo de la música**. Poco a poco irá acompasando la coordinación de las manos con la del cuerpo y las realizará a la vez, no cada una en momentos distintos.

ACTIVIDAD DE PRECISIÓN

Una **sencilla caja de zapatos se convierte en el vehículo ideal para adquirir una mayor coordinación**. Según corresponda, le pedimos: «Ábrela» o «Ciérrala». Se pasará un buen rato realizando esta actividad y cada día la hará mejor que el anterior hasta que logre dominarla a la perfección. Le encanta demostar a los adultos lo bien que lo hace.

JUGUETES CON BOTONES

Aquellos juguetes que ofrecen gran variedad de opciones son perfectos para esta etapa: ventanitas que se abren y cierran, botones con luces y sonidos, ruedas que giran hacia un lado y hacia otro, manivelas que se mueven, sonidos que se activan... Primero **lo realizaremos nosotros para que vea cómo se hace**. Y después dejaremos que lo intente, aunque no debemos esperar que lo haga bien a la primera: como sucede con todas las actividades, es cuestión de practicar mucho hasta que se consigue.

a los 16 meses...

Cada vez son más frecuentes e intensos los enfados y las rabietas del niño. Está aprendiendo tan rápido que no siempre es capaz de asumir todo lo que le pasa y por eso llora. Otras veces el niño tiene rabietas con un objetivo: llamar la atención. Son los restos del egocentrismo que imperaba en etapas anteriores y que ahora pone en marcha en determinados momentos con una intencionalidad clara porque sabe que así podrá conseguir lo que se propone. Es una etapa muy intensa tanto para los niños como para los padres.

Las rabietas

En los meses anteriores, los momentos de llanto suponían un reclamo del niño para avisar de algo concreto: el pañal está sucio, tengo hambre, estoy cansado, hay mucho ruido... Pero al final de este trimestre, nos encontramos con que el niño **recurre a rabietas intensas para conseguir algo**: quiere influir en los padres y el llanto es el mejor recurso que tiene para manipularlos. Cuando un niño de esta edad tiene una rabieta, los padres y cuidadores deben tener en cuenta los siguientes aspectos:

• **Esperar a que pase** porque con un niño tan nervioso no se puede razonar.

• **Una vez que ha pasado** la rabieta, explicarle que lo que ha hecho está mal.

• **Si el niño tenía un objetivo con la rabieta**, explicarle que así no lo va a lograr.

• **Mostrarse seguros**: los niños que más insisten y más rabietas caprichosas tienen suelen ser los que tienen padres más inseguros.

• **Corregir con una intención positiva**: los castigos tienen como objetivo dar pautas al niño para que tenga una conducta adecuada.

• **Todo desde el máximo cariño**: no debemos olvidar que se trata de un niño de 16 meses y que tanto el enfado como el castigo o regañina irán acordes con su edad.

Motricidad gruesa

Ya ha cumplido 16 meses, ha crecido y aunque cada vez disfruta de mayor habilidad con las manos, todavía pone en práctica la motricidad gruesa, es decir, aquellos movimientos bruscos y sin control. El niño **tiene ramalazos que recuerdan al bebé** que fue hace tan solo unos meses.

Los **padres deben desarrollar mucha paciencia** para que en estos momentos «tan de bebé» no se les escapen frases del tipo: «No tienes ni idea», «No sabes hacer nada», «Pareces un bebé»... Cuando a un niño se le repite constantemente que no sabe hacer nada, termina por creérselo y ya no hará esfuerzos por mejorar.

Las capacidades

SUJETA MÁS DE UN OBJETO A LA VEZ

Debido a la gran fuerza y control que tiene en manos y brazos, el niño puede sujetar más de un objeto a la vez. Y de hecho le encanta llevar siempre algo en la mano.

TREPA POR LOS MUEBLES

Sus ansias por explorar no tienen límites: acaba de descubrir que puede trepar, subir a las sillas y a otros muebles altos. La vigilancia en estos momentos es imprescindible. Todo en la casa debe estar bajo control: ventanas cerradas, cajones en su sitio, armarios cerrados, etc.

MUY OBSERVADOR

En sus expediciones, se fija en detalles tan pequeños que ni siquiera los adultos hemos detectado: un niño siempre nos sorprende.

SEGURIDAD AL CAMINAR

Como cada vez se siente más seguro al caminar, le encanta explorar y descubrir rincones nuevos: el movimiento es constante.

"mira qué bien chuto"

HA NACIDO UN FUTBOLISTA

Dar patadas al balón es una de sus actividades favoritas. Su fuerza, coordinación y equilibrio le permiten chutar y espera que el adulto se lo devuelva y le felicite por lo bien que lo hace.

MAYOR ENTENDIMIENTO

Durante este mes se hace evidente que entiende frases cada vez más complejas. Lo detectaremos si al pedir que haga algo, realmente lo realiza: «Lleva el plato a la cocina», «Coloca el juguete en su cesto», «No tires los cojines al suelo».

ES MUY TOZUDO

Un niño siempre quiere salirse con la suya y fuerza al máximo. Para conseguirlo impone su voluntad siempre y si no lo obtiene, se enfada de manera evidente hasta que lo logra. Los padres y cuidadores no deben someterse a la voluntad del pequeño tirano que es un niño de 16 meses.

23   Llenar y vaciar

Es una de sus actividades favoritas y se puede llevar a cabo a través de muchos juegos y actividades. Podemos recurrir a los juguetes específicamente diseñados para este fin, pero también crear algunos con materiales sencillos que tengamos en casa y que ofrecen el mismo resultado. Disfruta mucho con estas actividades que proponemos.

actividades

Caja con abertura • El coleccionista • Sentado sobre la pelota • Rodar sobre una pelota

EL COLECCIONISTA

Durante un paseo por el campo o por el parque le enseñamos a recoger cosas curiosas y meterlas en un cubito de plástico. Aprenderá a **tocar y diferenciar distintas texturas**. Lo más probable es que él mismo vaya vaciando el cubo de vez en cuando y ¡vuelta a empezar! Porque ahora su objetivo no es atesorar objetos, sino meterlos y sacarlos del cubito.

"mira lo que saco de la caja"

CAJA CON ABERTURA

En una caja de cartón con tapa (de zapatos, de galletas o más grande) hacemos una abertura con un cúter del tamaño suficiente para que el niño pueda introducir sin dificultad su mano y el brazo. Decoramos la caja con rotuladores o pegatinas para adaptarla al gusto infantil. Y le pedimos que **meta dentro unas bolas** y que luego las saque. Cada vez que saca un objeto de la caja, lo celebrará como si nunca lo hubiera visto. En la playa, con el cubito y la pala tiene la diversión asegurada.

24 Practicando el equilibrio

Si todavía no se ha lanzado a caminar solo, estos ejercicios le vendrán estupendamente para practicar el equilibrio y reforzar la musculatura. Al sentirse más fuerte, poco a poco adquirirá más confianza y se atreverá a intentar andar solo.

"qué bien me lo paso con las pelotas"

RODAR SOBRE UNA PELOTA

Una opción es tumbarle sobre una pelota para que ruede sobre su tripa. Se caerá, se reirá y vuelta a empezar. Ejercicio idóneo para **practicar el equilibrio e intensificar la musculatura** ¡con mucha diversión! En otro momento le ponemos de espaldas sobre la pelota, como si estuviera tumbado, sujetándole para que no se caiga.

SENTADO SOBRE LA PELOTA

Ponemos al niño sobre una pelota grande sujetándolo muy bien, pero con **cierta libertad de movimientos**: tendrá que recolocar su cadera y hacer fuerza para no caerse. Después, colocamos una pelota de tamaño mediano cerca de una mesa baja para que el niño se agarre a ella. Le mostraremos cómo sentarse sobre la pelota. No aguantará demasiado tiempo, pero le servirá para ir reforzando la musculatura.

de 17 a 20 meses...

Aumenta su capacidad para comunicarse porque:
- Adquiere más vocabulario
- Comprende el mecanismo del habla
- Siente empatía hacia los demás

actividades

Desarrollo cognitivo
• Psicomotricidad
• Socialización • Manos
• Capacidad
lingüística

Lo que caracteriza a este trimestre es la mejora en todos los progresos que ya inició en la etapa anterior. Estos cambios provocan una mayor independencia y ganas de explorar por todos los rincones y de experimentar con el lenguaje.

Desarrollo cognitivo

Está en pleno aprendizaje y procesa mucha información a lo largo del día. Se observan cambios y mejoras en todo lo que hace. Comprende todo lo que se le dice y empieza a sentir una **leve empatía hacia los demás.**

Socialización

Aumenta considerablemente porque **se comunica cada vez mejor.** Su comprensión del lenguaje es muy alta. Y su **vocabulario aumenta** casi por semanas. Aunque al ser muy egocéntrico, las actividades grupales no le entusiasman.

Manos

Tiene ya mucha **fuerza y coordinación.** Al principio del trimestre sigue dejando caer los objetos porque le falta precisión. Pero al final, ya empieza a demostrar que es capaz de depositar los objetos en un lugar concreto.

Capacidad lingüística

Comprende el mecanismo del habla y lo pone en práctica. Va adquiriendo vocabulario y como quiere comunicarse, aprende a un ritmo muy rápido. Desarrolla una **gran coordinación entre el pensamiento y el hecho de hablar** en sí mismo.

Psicomotricidad

Los niños que todavía no andan solos sin apoyo a lo largo de este trimestre se sueltan en esta actividad. Los más lentos para andar suelen hacerlo a los 18 meses. Descubren que **pueden bajar escalones uno a uno y chutar un balón.**

de 17 a 20 meses...

Ayudar en el proceso de aprendizaje que supone este trimestre es la principal función de los padres y cuidadores. El niño aprende de una manera innata, pero podemos motivarle para que se sienta cómodo en este camino de desarrollo psicomotor y de socialización que está viviendo y experimentando. Un niño seguro de sí mismo es un niño feliz.

Empezar a hablar y lanzarse a caminar solo, sin apoyo. Estos son los dos hitos que alcanza el niño durante este trimestre en su camino evolutivo.

EL EQUILIBRIO ESTÁTICO

El niño debe empezar a dominar el movimiento coordinado y el hecho de andar solo. Cada vez aprende movimientos más complejos. Pero moverse o desplazarse no es lo más complicado que aprende un niño. Aunque pueda parecer lo contrario, hay un gesto que requiere mucha actividad muscular y un gran equilibrio: a esta edad no les cuesta tanto caminar como **quedarse parados en la posición de pie, sin avanzar**.

Se habla también equilibrio estático cuando mantenemos el centro de gravedad dentro de la base de sustentación al permanecer parados. Cuando estamos de pie, decimos que estamos quietos, pero no es así: la musculatura corporal precisa de mucha coordinación para que parezca que estamos estáticos. Además, para evitar que nos caigamos, el sistema nervioso central ha de estar en constante actividad.

Es por eso que al aprender a andar solos, los niños se caen al detener su marcha. Y también deberán buscar el equilibrio cuando caminan con algo entre las manos. Es como si el tono muscular del cuerpo se tuviera que redistribuir para lograr el ansiado equilibrio.

BENEFICIOS DE IR A UN PARQUE

Los parques infantiles están concebidos para hacer que los niños se interrelacionen y disfruten de columpios seguros y fiables. Los padres y cuidadores han de estar pendientes del niño en todo momento, pero otorgándole cierta libertad para que desarrolle su sociabilidad, psicomotricidad e imaginación al máximo.

Padres y cuidadores deben procurar llevar al niño al parque siempre a la misma hora porque así coincidirá con los mismos niños y va creando lazos de amistad. Aunque en esta edad, no existen relaciones de amigos como sí sucede con los niños más mayores, es la manera de comenzar a formar una pandilla que en el futuro será un sostén emocional.

Las **actividades** en los columpios e instalaciones de los parques benefician el crecimiento del niño desde varios campos:

TODOS LOS DÍAS

Aunque sea invierno (a no ser que las temperaturas sean exageradamente bajas), el niño debe salir a la calle a dar un paseo o al parque a jugar todos los días porque eso refuerza su sistema inmunológico. En invierno irán muy abrigados, si es posible con gorro, y en verano le iremos dando agua de vez en cuando para que no se deshidraten debido al excesivo calor.

- **Psicomotricidad**: cuando un niño se sube a un columpio acorde a su edad, está poniendo a prueba su control corporal, al tener que realizar movimientos muy precisos que le exige la instalación.

- **Sociabilidad**: el egocentrismo que el niño tiene durante este trimestre experimenta un gran contraste al jugar con otros niños, cederles el paso, esperar a que bajen aguardando su turno, etc.

- **Imaginación**: cambiar de escenario, en este caso estar fuera de casa, siempre activa la imaginación. Los niños crean entonces un pequeño mundo de fantasía con el nuevo entorno.

- **Dominio espacial**: jugar en las instalaciones y los columpios supone subir, bajar, trepar, reptar... Y para realizar todas estas acciones, el niño ha de controlar las distancias y dominar los espacios, algo muy importante en esta etapa.

- **Autoestima**: al ser capaz de jugar en un parque, el niño adquiere nuevas habilidades y se sentirá muy bien por ello. Le gusta ponerse a prueba y conseguir sus metas.

a los 17 meses...

Aunque pueden ir desde más pequeños al parque, muchos niños cuando realmente lo disfrutan es al comenzar a andar. Allí descubren todo un mundo nuevo por explorar: niños, columpios, arena, juguetes... Un entorno concebido para ellos en el que la diversión, el aprendizaje y la aventura se dan la mano.

Acompañarle en los juegos

Saber **jugar es un aprendizaje** y esa es una de las obligaciones de padres y cuidadores. Cuando le entregamos un juguete nuevo a un niño, no le sacará todo el partido posible si antes no **nos hemos sentado con él** y le hemos demostrado qué hay que hacer. Los juguetes están diseñados con un fin que se logra si se hace buen uso del mismo. Por eso al ofrecerle un juguete nuevo a un niño, lo aconsejable es que el adulto juegue primero y le demuestre qué hay que hacer: «Colócalo aquí», «Aprieta este botón», «No lo saques»...

Cada niño tiene sus preferencias en cuanto a juguetes y juegos se refiere. Para descubrir cuáles son sus gustos, le facilitaremos todo tipo de juguetes y dejaremos que experimente con ellos. Si luego le gusta o no, ya lo descubriremos.

Aceptar los cambios

El niño está iniciando un trimestre de muchos cambios: aprender a andar solo, ir a la guardería (si todavía no ha asistido), retirarle el chupete, quitar el pañal (primero durante el día y luego por la noche), empezar a beber en vaso... Y nos encontramos con el problema de que a los niños aceptar los cambios en la rutina les cuesta mucho porque dicha aceptación supone un síntoma de madurez. Y a esta edad, todavía son muy pequeños. Algunos consejos útiles son:

• **Prepararle para los cambios.** Antes de que sucedan, habrá que explicarle qué va a pasar. En este sentido, son muy útiles los libros. Por ejemplo, se recurrirá a uno en el que al niño protagonista le quitan el pañal. El niño irá comprendiendo que eso también le pasará a él.

• **Respetar su ritmo.** No existen pautas demasiado estandarizadas sobre la edad exacta a la que se retiran el pañal y el chupete. Si nuestro hijo todavía no está listo para retirar el pañal pero su primo sí, no le transmitiremos ansiedad: lo hará, pero a su propio ritmo.

• **Un cambio tras otro.** Evitaremos que los cambios se produzcan a la vez para que el niño ofrezca una respuesta positiva a ellos.

• **Alabar sus logros.** Cuando haga bien lo que le hemos propuesto, se lo alabaremos. Pero si no lo logra (por ejemplo, controlar los esfínteres), le transmitiremos confianza, nunca impaciencia.

Las capacidades

TIENE MAYOR HABILIDAD PARA SUJETAR OBJETOS

La fuerza de sus brazos y manos le permite sujetar con firmeza cualquier objeto, pero todavía le falta precisión a la hora de depositarlo: sigue optando por dejarlo caer.

NO LE GUSTAN LOS CAMBIOS

Su instinto de conservación le lleva a rechazar los cambios. Prefiere la rutina, las acciones repetidas, realizar los mismos actos de la misma manera, no variar nada... todo esto le aporta la seguridad que necesita para sentirse tranquilo y confiado.

SENSACIÓN DE MIEDO

La tiene cuando comprueba que se ha quedado solo en una habitación o que sus padres no están tan cerca físicamente de él como pensaba: necesita verlos.

EL CHUPETE: SOLO EN LA CUNA

Una buena manera para ir dejando el chupete es que solo lo use a la hora de dormir, nunca en la calle. Si le acostumbramos a este sistema explicándole que solo los bebés llevan chupete en la calle, se irá acostumbrando a dejar el chupete en la cuna.

"eso no me gusta"

MAYORES INTENTOS POR COMUNICARSE

Quiere establecer comunicación con los adultos y su mundo, y hace verdaderos esfuerzos para lograrlo con gestos, palabras, intentos de conversación, abrazos, besos... Todo es válido para conseguir dicha comunicación.

DEMOSTRACIONES DE CARIÑO

Cuando un niño se siente seguro de sí mismo, experimenta la felicidad. Es entonces cuando puede demostrar cariño hacia los demás. Imitará a los adultos en la forma de abrazar, acariciar, dar besos y mostrarse cariñoso. Con ello también busca su aprobación.

25 Pequeñas innovaciones

Su vida en este momento está llena de cambios que se van a producir en este mes o en los inmediatos. Los juegos son un aliado a la hora de que el niño asimile dichos cambios.

actividades

*Cambiar rutinas •
Los roles • Hacer
montañitas • Subir y
bajar • En casa •
Dentro y fuera*

"jugando a
ser mayor"

CAMBIAR RUTINAS

Después del baño, en vez de llevar en brazos hasta el cambiador, un día probamos a **cambiarle de pie en el cuarto de baño**. El primer día protestará, pero si lo volvemos a hacer, a los pocos días lo sugerirá él: va dejando de sentirse bebé y eso se nota en los gestos del día a día.

LOS ROLES

Tanto si es niño como si es niña, utilizando una muñeca o un peluche haremos una pequeña representación para explicar al muñeco que le **vamos a quitar el pañal porque es de día**. Y también lo sentaremos en el orinal. Probablemente, el niño no esté preparado para orinar allí, pero se irá acostumbrando a ver dicho objeto en el cuarto de baño y a comprobar que el pañal se puede quitar y él se siente más ágil en sus movimientos sin llevarlo.

La hora del juego...

26 El arenero

*L*a zona con arena de los parques es estupenda para desarrollar la imaginación, la coordinación y la sociabilidad. Los adultos le enseñaremos cuántas cosas se pueden hacer. Lo normal es que las primeras veces se lleve arena a la boca. Pero pronto aprenderá que eso es asqueroso y no le aporta nada bueno.

HACER MONTAÑITAS

Con una pala y un rastrillo llevaremos arena hasta un punto determinado con la intención de **levantar una montaña**. Le damos la pala al niño para que lo haga él.

SUBIR Y BAJAR

Le mostramos cómo puede **subir y bajar del escalón o reborde que contiene la arena.** Le encantará este descubrimiento tan simple, pero tan divertido para él.

EN CASA

Si disponemos de un jardín o de una terraza segura, crearemos un arenero. Una **caja de cartón grande** será nuestro aliado perfecto. La arena debe ser limpia y lo más fina posible para que se le escurra entre los dedos. Dispondremos varios juguetes en nuestro arenero casero: pala, rastrillo, cubo...

DENTRO Y FUERA

Agarramos su manita y con ella la pala. Empujamos en la arena, levantamos la pala y transportamos dicha arena hasta el interior del cubo. Cuando esté lleno, lo vaciamos. Ahora **le toca hacerlo a él solo.** Es una actividad que mejora su coordinación, aumenta su habilidad fina y le hace comprender las distancias y los espacios.

a los 18 meses...

*L*a guardería, el parque, las fiestas de cumpleaños..., de repente el niño se ve rodeado de otros niños y debe aprender a convivir con ellos. Su sentimiento de posesión tan desarrollado, su egocentrismo, su tendencia a no compartir... caracterizan este mes porque no está preparado para compartir juguetes ni disfrutar de los juegos en grupo. Debe estar con otros niños, pero si no quiere jugar en ese momento, es mejor no insistir.

El equilibrio dinámico

La capacidad del sistema nervioso central de recuperar el centro de gravedad cuando se está de pie caminando es el equilibrio dinámico. El del niño a esta edad se está desarrollando: su aprendizaje se ha iniciado cuando comienza a caminar.

Y no termina ahí, sino que se va haciendo más complejo con el paso de los años. De hecho, a partir de los 2 años, **un buen equilibrio dinámico es fundamental** debido a que el niño anda más rápido y es capaz de variar el sentido de su marcha.

Son dos los elementos esenciales para disfrutar de un equilibrio dinámico correcto:

• Cierta fuerza muscular.
• Buen esquema corporal.

El golpeteo

Por mucho que a padres y cuidadores les disguste y moleste, **el golpeteo es un síntoma de crecimiento cognitivo y motor**. Para poder realizar los movimientos repetitivos que supone el golpeteo es necesario un **alto grado de maduración del sistema nervioso central**. Ya sea a un tambor, a una caja, o a la alfombra, al golpearlos de manera continuada se activan las áreas cerebrales responsables de coordinar músculos agonistas y antagonistas de un mismo lado del cuerpo.

Además del ruido que genera, **con el golpeteo se consigue**:

• Entender cómo son los distintos materiales.
• Experimentar con los sonidos: el niño comprenderá que no obtiene el mismo sonido si da en un punto o en otro.
• Valorar las formas de los objetos.
• Practicar el ritmo y el sentido musical.
• Mejorar la coordinación motriz.
• Aprender parámetros espaciales porque debe calcular el punto donde ha de golpear.

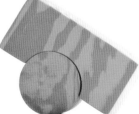

Las capacidades

IMITACIÓN DE LOS ADULTOS

Aunque sus gestos y coordinación física aún son básicos, hace esfuerzos por imitar a los adultos en sus gestos diarios. Por ejemplo, intentan barrer, pretenden fregar cacharros, etc.

LOS SONIDOS SE TRANSFORMAN EN PALABRAS

Si antes tenía asignado un sonido para pedir o referirse a algo, ahora empieza a cambiarlo por palabras: prefiere hacerse entender a la primera que repetirlo varias veces.

MÁS VOCABULARIO

Poco a poco va utilizando más palabras. Ahora es capaz de pronunciar unas 10 palabras de manera correcta y muy clara.

"esto es mío"

SE INCLINA DESDE LA POSICIÓN DE PIE

Cuando camina, le gusta parar e inclinarse hacia delante para recoger algo del suelo, agacharse como si hiciese una voltereta. Cuando se incorpora, tarda unos segundos en recuperar el equilibrio. Cuando lo logra, continúa la marcha y... vuelta a empezar con esta actividad.

¡A LA BOCA!

Chupa todo lo que encuentra a mano. Es su manera de identificarlo y hacerlo suyo. Hay que tener mucho cuidado porque en esta etapa se lo llevan todo a la boca y no discriminan.

SENTIMIENTO DE POSESIÓN MUY DESARROLLADO

No presta nada, no suelta nada, no quiere dar nada. Todo lo quiere para él porque ha desarrollado un exagerado sentimiento de posesión. Es casi imposible arrebatarle lo que ha decidido que es suyo. Le resulta complicado compartir juguetes con otros niños debido a su enorme sentimiento de posesión.

27 Mejorar el equilibrio dinámico

Todos los días, el niño que ya sabe andar sin apoyo pone en práctica el equilibrio dinámico. Sin embargo, podemos hacer que lo ejercite más con unas sencillas actividades que le resultarán muy divertidas.

actividades

Cambio de velocidad • Carrera de obstáculos • Un tambor • El triángulo • Chocar las manos

CAMBIO DE VELOCIDAD

Le pedimos que vaya a nuestro ritmo, pero sin que nos dé la mano o se agarre a nosotros. Primero **caminamos** a una velocidad normal, nos paramos y reanudamos la marcha muy despacio, nos paramos de nuevo y caminamos rápido.

CARRERA DE OBSTÁCULOS

A lo largo del pasillo dejamos **varios objetos atractivos** para él. Le damos una cestita y le pedimos que vaya metiendo los objetos en ella. Cada vez que pare la marcha, se incline a recoger un objeto y vuelva a andar estará ejercitando el equilibrio.

"me inclino sin caerme"

La hora del juego...

28   Aprendo a golpear

El hecho de golpear de manera repetitiva un objeto se produce cuando el niño ha logrado cierto punto de desarrollo en su capacidad psicomotora. No es una manera de fastidiar a los adultos: los niños tienen la necesidad de golpear porque así se desarrolla correctamente su capacidad psicomotora.

EL TRIÁNGULO

Es un instrumento musical **muy apropiado para los niños**. Lo colgamos de tal manera que esté al alcance del pequeño y no lo tenga que sujetar. Enseguida comprenderá que el sonido que se produce varía según en qué parte lo golpee.

UN TAMBOR

Un palo servirá de baqueta y para el tambor, nada como uno de juguete, o bien una tabla de madera o una caja de plástico de tamaño medio. Dejamos que disfrute de este momento, aunque a nuestros oídos no les haga gracia. Coordinación, ritmo, motricidad fina... son **muchos los beneficios** de una actividad tan básica como esta. A ellos hay que sumar la diversión.

CHOCAR LAS MANOS

Primero lo haremos poniendo **nuestra mano abierta hacia arriba** porque así resulta más fácil para el niño. Cuando haya practicado un buen rato, intentaremos que **choque con las manos arriba**, en un claro estilo deportivo. A medida que lo practique le irá saliendo mejor y dominará sus gestos.

"jugando a dar palmas"

a los 19 meses...

Más palabras, más juegos, más agilidad y fuerza física, más egocentrismo y más pataletas... Todo forma parte de la evolución del niño. No podemos pretender que se salte nada, ni siquiera las pataletas. Tanto lo que gusta más a los padres como aquello que les desespera es necesario para que el crecimiento psicomotor del pequeño sea el idóneo.

Conocer mejor su cuerpo

Gran parte de la comprensión y el aprendizaje del mundo real pasa por descubrir y conocer su propio cuerpo. De esta manera el **bebé será capaz de relacionar las sensaciones internas con los conceptos**, las funciones y las connotaciones culturales de su cuerpo.

Más adelante, este aprendizaje facilitará el conocimiento más complejo de la imagen y del esquema corporal, lo que aumentará las potencialidades cognitiva, motriz y afectiva.

Comprender, luego hablar

La ampliación de su vocabulario se produce gracias a la comprensión de conceptos. **No se puede hablar si no se comprende el entorno.** La ejecución del lenguaje y el habla no es posible si antes no se ha producido el entendimiento de los diferentes términos que hacen referencia a objetos cotidianos. **Más tarde vendrá la comprensión de los conceptos más abstractos.**

En esta etapa de aprendizaje del lenguaje, le diremos al niño el nombre de cada objeto nuevo que descubra para que lo vaya interiorizando y procesando en su cerebro.

Las capacidades

COMPRENDE EL VALOR DE LAS PALABRAS

Como cada vez se expresa mejor y consigue establecer una comunicación fluida con los adultos, comprende la importancia que tienen las palabras. Le gusta aprender y cada semana que pasa incluye más vocabulario a su vida diaria.

APRENDE LAS PARTES DE SU CUERPO

Aunque todavía no sabe decir sus nombres, ya reconoce algunas partes de su cuerpo: manos, orejas, pies, cabeza…

PATALETAS HABITUALES

Para decir que algo no le gusta o le molesta, recurre a la pataleta, la pelea y el llanto. Son momentos de tensión, pero muy propios de la edad. Como ya hemos explicado, habrá que esperar a que se pasen para hablar con él e intentar que razone y comprenda que con su actitud no va a conseguir nada.

"parece que leo, pero todavía no sé"

PUEDE PASAR PÁGINAS DE UN LIBRO

Es hábil pasando las páginas de un libro. Lo normal que es pase varias de golpe, pero a veces logra hacerlo de una en una. Se detendrá en aquellas ilustraciones que más le llamen la atención para observarlas y comentarlas a su manera.

QUITAR EL PAÑAL

Se acerca el momento de retirar el pañal durante el día: hay que hablarle de ello para que lo asuma.

ES MUY EGOCÉNTRICO

Todo debe girar a su alrededor, no por egoísmo, sino por egocentrismo. Su persona es el centro de todo: de las conversaciones, de la rutina de la casa, de los juegos… Necesita esta actitud para desarrollar su personalidad y reafirmarse. Ser egocéntrico no implica que vaya a ser egoísta en el futuro.

29 ## ¡Me voy conociendo!

Ahora el niño está muy interesado en sí mismo y en aprender todas las partes de su cuerpo. Se observa, se toca, señala lo que le sorprende: en su interior va comparando con otros niños o con los adultos.

actividades

Parte por parte • Ante el espejo • De compras • Imágenes reales • La caja sorpresa

PARTE POR PARTE

Cuando esté desnudo, por ejemplo antes del momento del baño, **señalamos partes de su cuerpo** y decimos sus nombres: pierna, otra pierna, un pie y otro pie, una mano y otra mano, la tripa, los ojos, etc. Si cada día realizamos esta actividad, en breve el niño aprenderá dichos conceptos y seguramente al poco tiempo podrá pronunciar esas palabras. Primero debe comprender para después poder hablar.

ANTE EL ESPEJO

Colocamos al niño delante de un espejo y le pedimos que se señale alguna parte de su cuerpo: «¿Dónde está tu boca?», «Por favor, dime dónde está tu pie», «¿Cuál es tu nariz?», «¿Y tus orejas?»... Lo hará encantado y **se sorprenderá descubriendo su imagen reflejada**: se reconoce y se gusta.

La hora del juego...

*H*ablarle mucho y jugar son las mejores vías para aprender y adquirir conocimiento. El niño está descubriendo el mundo y los adultos debemos ayudarle en esta etapa de su aprendizaje que sentará las bases para el siguiente año. Ser constantes en el proceso de enseñar y estimular las capacidades del niño es la clave para un buen desarrollo.

"como lo hago tan bien..."

DE COMPRAS

Llevamos al niño a una frutería y **señalamos cada producto diciendo su nombre**. Seguramente, él intentará repetir alguno, pero el objetivo es que escuche y visualice cómo son. Ya vendrá más tarde el habla, que no se producirá si no observa antes dichos alimentos y su mente los registra para después reconocerlos.

IMÁGENES REALES

Nos sentamos a su lado y le mostramos **un librito con imágenes reales**. Pasaremos las páginas señalando cada objeto y diciendo su nombre. En general, a los niños les cuesta más reconocer el mismo objeto en una fotografía que en una figura real porque no está en 3D, como está acostumbrado a ver en su entorno.

LA CAJA SORPRESA

En una caja colocamos coches, animales y alimentos, y si es posible de diferentes tamaños y materiales. Antes de meterlos en la caja le decimos qué es cada uno de ellos. Los introducimos y le pedimos al niño que extraiga, por ejemplo, un coche. Cuando lo haga, le decimos que nos lo entregue. Y así con todos los objetos de la caja. **Aprenderá a identificarlos** y también le estamos enseñando a prestar y entregar algo, un hecho todavía muy complicado para él. Su capacidad de comprensión es enorme, pero como sucede con cualquier potencial, hay que entrenarla para conseguir el máximo.

de 17 a 20 meses • 83

a los 20 meses...

El final de este trimestre está dando paso a un niño cada vez más independiente, pero que sigue reclamando mucha atención y cuidados. Padres y cuidadores guiarán al niño en su proceso de aprendizaje que cada vez adquiere nuevos retos que se han de ir superando a medida que surgen. En este periodo la seguridad en sí mismo es fundamental para avanzar en el desarrollo de sus capacidades.

Destreza manual

La habilidad con la que ya manipula objetos es posible gracias a una mejor musculatura y unas **mayores coordinación psicomotriz y visual**. Ha adquirido conocimiento y experiencia en cuanto a los **conceptos espaciales** se refiere. Al final de este trimestre, el niño ya puede:

• **Hacer pinza con su dedo pulgar y los otros dedos.** Es un claro síntoma de evolución física y mental que requiere gran capacidad de coordinación.

• **Depositar objetos con cuidado** y precisión en un lugar determinado, en vez de lanzarlos como hacía antes.

• **Entregar objetos a un adulto.** Para ello es capaz de calcular la distancia que hay entre él y la otra persona y activar la musculatura de tal manera que le permita extender el brazo.

• **Colocar objetos en fila**, uno detrás de otro. Hasta ahora lo normal era apilarlos, pero debido a las capacidades que está desarrollando puede colocarlos uno detrás de otro en un plano horizontal. Ha pasado de preferir construir torres a crear una vía de tren.

Adiós al pañal

El periodo de preparación previo antes de dejar definitivamente el pañal es conocido como «entrenamiento higiénico». Hay **tres elementos fundamentales** para realizar este importante paso en la vida del niño (y también de los padres): **comprensión, paciencia y tiempo**. No existe una edad concreta para este paso, pero suele producirse entre los 18 y los 30 meses. Y por muy espabilado que nos parezca el niño, es absurdo intentarlo al cumplir el año: no posee el control de esfínteres, de los movimientos intestinales ni de la vejiga que se precisan. Según los expertos, las transmisiones nerviosas que comunican la vejiga con el cerebro están completamente maduras al cumplir 18 meses, y a veces un poco más tarde. **Para saber si un niño está preparado** para comenzar el «entrenamiento higiénico», debemos observar si:

• Sus evacuaciones son regulares y, en cierta medida, previsibles.

• Se mantiene seco durante un par de horas durante las horas del día.

• Se levanta seco de su siesta.

• Su rostro y su expresión facial, gestos y posturas corporales denotan ganas de orinar.

• Llora o protesta cuando el pañal está mojado o manchado.

• Pide usar el orinal o el inodoro.

• Quiere cambiar el pañal por una braguita o un calzoncillo.

Las capacidades

REPITE LAS PALABRAS PARA APRENDERLAS

Cuando oye una palabra y comprende su significado porque la relaciona con un objeto o persona, la repite varias veces. Es su manera de aprender.

BAJA LAS ESCALERAS PELDAÑO A PELDAÑO

Siempre agarrado a la barandilla o a la mano de un adulto, ya puede bajar las escaleras de pie. Lo hará peldaño a peldaño y muy despacio, a su ritmo para no perder el equilibrio. Lo normal es que se canse, no quiera seguir haciéndolo y pida brazos.

MAYOR PRECISIÓN AL DEJAR OBJETOS

Empieza a dejar los objetos, no a lanzarlos o dejarlos caer. Disfruta de gran habilidad y le encanta ponerla en práctica. Su destreza manual va en aumento.

"yo ya puedo desplazarme solito..."

APRENDE A CORRER

Sin mucha velocidad, pero ya con gran equilibrio, el niño empieza a dar sus primeras carreras. Irá practicando en los meses siguientes antes de ser capaz de correr a gran velocidad.

CHUTA PELOTAS

Le gusta chutar pelotas y espera que se la devolvamos. Tiende a usar siempre la misma pierna al golpear la pelota.

ARRASTRA OBJETOS AL CAMINAR

La gusta llevar algo de lo que tirar cuando camina: objetos con ruedas, perro de juguete, coches con cordel, muñecas atadas a cintas...

USA PALABRAS NUEVAS

Cuando aprende una palabra lo normal que es la utilice varios días seguidos para integrarla definitivamente a su vocabulario: sabe cuál es el contexto idóneo para usarlas.

31 Mejorar la concentración

A esta edad, seguramente padres y cuidadores ya intuyen si el niño es capaz de pasar un rato haciendo la misma actividad o no. En ambos casos, conviene ir ejercitando la concentración, que en etapas posteriores les vendrá bien para su desarrollo intelectual. Si no es capaz de hacer la misma actividad durante unos minutos, debemos estar alerta y observarle con mucha atención.

actividades

Dibujar • La hora del té • ¡Buen viaje en tren! • El juego de las clavijas

DIBUJAR

Pasar un rato coloreando supone un gran esfuerzo para un niño tan pequeño. Aunque no sepa colorear dentro de las líneas del dibujo, le alabaremos como si hubiera pintado una obra maestra. Dibujar (aunque sean rayas) **es fundamental para motivar la capacidad creativa**, mejora la fantasía, incrementa la presión fina de las manos, aumenta la coordinación y es fundamental para mejorar la concentración.

"juego a ser mayor"

LA HORA DEL TÉ

Si disponemos de una terraza o un jardín, colocamos **un juego de té de juguete en una mesita y llenamos la tetera de agua**. Le pedimos que sirva el agua en las tacitas. Esta actividad requiere una gran coordinación y, por lo tanto, mucha concentración. Siempre le entusiasma jugar con agua.

La hora del juego...

32 Vamos a hacer filas

*H*ace tan solo unos meses, el niño no comprendía cómo se colocaban los objetos en fila: siempre tendía a apilarlos, construyendo torres. Pero de repente ha comprendido el mecanismo para hacerlo.

"qué bien juego"

¡BUEN VIAJE EN TREN!

Jugar a los trenes va más allá que la simple diversión. Escogemos un tren sencillo para que él pueda **encajar las piezas que conforman las vías**. Le enseñamos cómo hacerlo y le pedimos que lo intente. En cuanto a los vagones, existen unos muy sencillos que se enganchan con imanes: son perfectos para esta etapa. Aparte de construir la vía y el ferrocarril, nos inventaremos una historia sobre ese tren y sus viajeros para que disfrute al máximo y desarrolle su fantasía y creatividad.

EL JUEGO DE LAS CLAVIJAS

En la juguetería, encontraremos la típica **tabla llena de orificios en la que se encajan clavijas o pinchitos**. Primero, hacemos nosotros una fila con las clavijas y le pedimos al niño que la copie. Lo más probable es que no lo haga y las vaya clavando aleatoriamente. Pero no desistiremos y cada día dedicaremos un ratito a esta actividad. Aunque no consiga hacer la fila, sí irá practicando la presión fina, es decir, la que se ejerce con las manos y los dedos.

de 21 a 24 meses...

Su capacidad de razonar provoca:
• Nuevas actividades
• Ser consciente de los peligros
• Una mayor comprensión

actividades

Desarrollo cognitivo
• Psicomotricidad
• Socialización • Manos
• Capacidad
lingüística

Muchas de las conductas y aprendizaje de los trimestres anteriores continúan, pero cada vez más con logros más eficaces y evidentes. Ahora son seres pensantes. Pero se produce una contradicción: cuanto más autónomo es, más inseguro parece.

Manos

Ahora les gusta hacer **actividades que requieran la presión fina**. Es mucha la habilidad que han adquirido con las manos en este trimestre: descubren el placer de dibujar, las construcciones más complejas, los libros con páginas más finas, etc.

Psicomotricidad

Es tal su coordinación que **se apunta a todos los juegos físicos**: trepar por los columpios e instalaciones del parque, montar en bicis sin pedales y motos de juguete, chutar balones, escalar por los muebles, saltar en una colchoneta, salir de su cuna con habilidad...

Socialización

Empieza a comprender que **hay normas** cuando están con otros niños o con los adultos. Así mismo descubre la importancia de la higiene, el orden de los juguetes, el respeto por los demás... Está **aprendiendo a vivir en sociedad**.

Capacidad lingüística

¡Pueden decir su nombre para referirse a ellos! Cada día incorpora palabras, frases hechas y expresiones a su vocabulario. Es la etapa en la que es capaz de provocar una sonrisa, ya que **utiliza expresiones y palabras que parecen de personas mayores** y no de un niño tan pequeño. Su capacidad para comunicarse y expresar sus sentimientos está ya muy desarrollada.

Desarrollo cognitivo

Es un trimestre claramente más evolucionado en cuanto al aprendizaje se refiere. La experimentación que hace el niño para descubrir el mundo ya no es tan física como sucedía en los trimestres anteriores porque la etapa sensoriomotora está finalizando. Ahora se trata más de una **experimentación a nivel mental** que físico. Es decir, piensan en sus acciones antes de realizarlas, y no al revés como estaba sucediendo.

de 21 a 24 meses...

Soy mayor, pero no tanto. Así podría ser el resumen de este trimestre. El niño hace muchos avances, pero experimenta cierto retroceso ya que se produce un resurgimiento de la dependencia respecto a la madre. Al ser consciente de muchos aspectos del entorno, puede experimentar cierta inseguridad y algo de miedo que le hacen buscar protección en los brazos maternos.

Cuando llega a esta edad, un niño ha crecido mucho y cada vez es más independiente. Ha recorrido un largo camino en su proceso evolutivo y cognitivo. Pero a la vez surge una contradicción: es mayor, **es inteligente, es autónomo, pero a la vez es inseguro**. Precisamente, son su conocimiento y experimentación del mundo que le rodea los que le provocan tanta inseguridad.

Físicamente, es fuerte; intelectualmente, ha avanzado mucho; socialmente, está progresando. Pero al final de este trimestre es normal que **sienta una intensa dependencia materna**. Se da cuenta de que todavía es demasiado pequeño para el mundo de los adultos, pero insiste en ser independiente y disfrutar de su propia identidad. Todo ello provoca **un conflicto interno** que el propio niño no sabe cómo resolver.

NI TAN CERCA NI TAN LEJOS

El conflicto en el que vive el niño a esta edad provoca situaciones tan increíbles como que en un momento el niño pasa de alejarse de su madre hasta perderla de vista a regresar junto a ella para reclamar su atención y juegos. De repente la madre comprueba cómo su pequeño no la deja sola ni a sol ni a sombra: si se marcha de una habitación a otra solo para llevar algo, el niño la sigue; si se levanta del sofá, el niño la sigue; si se mete en el baño, el niño la sigue... Pero por otra parte, el niño exige ser mayor: «No me des la mano», «Yo solito», «Yo lo llevo», «Sé hacerlo»...

Esta situación entra dentro de los parámetros normales del desarrollo de todo niño, pero resulta muy cansada para los padres. Estos comprenden que su hijo se hace mayor y

en cierta medida autónomo, pero también tienen frente a ellos una personita muy tozuda que siempre quiere imponer su voluntad.

MUCHOS ACCIDENTES

En su afán reivindicativo, el niño quiere hacer su voluntad y suele estar especialmente nervioso. Es un trimestre protagonizado por muchos accidentes. El niño **quiere ser mayor y se aventura a actuar solo**, a pesar de las advertencias de los padres. Quiere utilizar el cuchillo, cocinar, abrir ventanas, llevar las llaves pero las dejan en cualquier lado, tocar la bocina del coche, quitarse el cinturón... Hay que extremar las precauciones para evitar los accidentes.

Extremar la vigilancia, retirar de su vista posibles peligros (productos tóxicos, utensilios cortantes, ventanas abiertas...), explicarle los riesgos sin transmitirle un exceso de angustia o preocupación, establecer normas de comportamiento... Todas estas medidas son necesarias durante esta etapa del desarrollo del niño.

FASCINACIÓN POR EL PADRE

Tanto los niños como las niñas, a esta edad, se sienten fascinados por la figura paterna. La masculinidad que ofrece dicha figura es esencial para ayudarles a definir su identidad. Además, el padre intervendrá en las situaciones en las que la madre se vea desbordada por la dependencia del niño.

DESCUBRIENDO LOS GENITALES

La curiosidad del niño le hace explorar su cuerpo. **Sin más intención que la mera exploración**, es habitual que el niño descubra sus genitales. Excepto si lo hace constantemente (podría ser por un picor debido a una infección y entonces sería necesaria la visita al pediatra), es normal que se toque, incluso en público. Si así sucede, no le regañaremos, pero le explicaremos que eso se hace en casa.

Es ahora cuando se da cuenta de la existencia de chicos y chicas y sus diferencias. Le interesa mucho este asunto por lo que preguntará constantemente si alguien determinado es chico o chica: Mamá, ¿eres una chica?, ¿Papá es un chico?, ¿La vaca es una chica?, ¿y el toro?

De esta manera aprende a reconocer los géneros, tanto en las personas como en los animales, y a ubicarse a sí mismo dentro del grupo social. Se va conociendo cada vez mejor y se compara con otros niños de su edad. Las situaciones más o menos incómodas que pueden derivarse de este repentino interés por el género, deben ser tomadas con naturalidad por los padres.

GUARDERÍAS

Es ahora cuando muchos niños que todavía no han acudido a una guardería empiezan a hacerlo. Aunque al principio les cueste la separación de los padres, en estos centros infantiles van a descubrir un nuevo mundo, ampliar su conocimiento del entorno, establecer amistad, definir su personalidad y reafirmar su autoestima. Les encanta tener su pequeño mundo propio al margen de sus padres: son seres individuales.

a los 21 meses...

*A*unque sigue reclamando mucho la presencia de los padres, sobre todo de la madre, también va comprendiendo que es un ser independiente y que eso implica tener que jugar solo en algunos momentos. Además, es interesante que lo haga para adquirir una mayor autonomía y como refuerzo de su personalidad, que en estos momentos se está comenzando a definir.

Siempre yo

Es consciente de su identidad y de que **es un ser independiente** a sus padres. Este hecho, unido a que son capaces de decir su nombre para referirse a sí mismos, le aporta tal seguridad que **sienten una gran satisfacción**. Pero su egocentrismo también se ve reforzado por este hecho: para él, el concepto del «yo» es vital.

Es obligación de los padres y cuidadores **evitar que dicho egocentrismo se convierta en un problema** de convivencia, más allá de que es una fase natural de su propio aprendizaje.

Debemos ser comprensivos porque de esta manera mayor será su independencia y su conocimiento de sí mismo. Pero las situaciones en las que el niño tienda a cierta agresividad se han de atajar. Para ello es esencial:
• Impedir que siempre imponga su voluntad.
• Vigilar para que no domine ni pegue a otros niños en su afán por reafirmarse.
• Invitarle a compartir sus juguetes.
• Explicarle cómo se deben hacer las cosas. Pero si reitera su actitud, recibirá un castigo acorde a su edad.

A veces, por el suelo

A esta edad **el niño tiene mucha fuerza, habilidad y coordinación física**. Es capaz de subir solo a los columpios, de tirarse por el tobogán, de chutar la pelota, etc. Sin embargo, **tiene momentos en los que su actitud se parece más a la de un bebé**: se tira por el suelo, se sienta en la acera y no quiere caminar, se revuelca en la arena del parque, etc.

Estos episodios, ciertamente molestos para los padres y cuidadores, forman parte de su evolución. Mucha paciencia y comprensión. Y esperar a que abandone dicha actitud y explicarle con cariño que eso no se hace así.

Pequeñas concesiones

Para que la convivencia no sea insoportable y que el niño **vaya asumiendo responsabilidades**, los padres y cuidadores **cederán en pequeñas cosas** (como el pantalón que se quiere poner), pero en otras han de ser inamovibles (por ejemplo, en asuntos relacionados con la higiene o la seguridad: peinarse, cruzar la calle dando la mano, no pegar a nadie, etc.).

Las capacidades

DISTINGUE LOS GÉNEROS GRAMATICALES

El niño es capaz de distinguir los sexos. Sin ser todavía muy consciente de ello, sabe que hay un femenino y un masculino, y lo suele aplicar cuando habla.

DICE SU NOMBRE MÁS A MENUDO

Le encanta hablar de sí mismo diciendo su nombre, lo que sirve para aportarle seguridad y mejorar su autoestima. Lo repite constantemente porque le gusta oírlo.

"yo me llamo..."

EL GUSTO POR LA RUTINA

Si el niño sabe qué le toca en cada momento debido a que en la casa hay una rutina establecida, se sentirá más seguro porque a esta edad las improvisaciones le suelen intimidar y no le gustan demasiado y nos lo hace notar. La hora del baño, de la comida o de irse a la cama deben seguir siempre la norma.

AFECTO EN SU MADRE

Reclama el afecto de su madre constantemente. Y a la vez demuestra admiración por el padre.

GRANDES ENFADOS

Ser mayor significa tomar decisiones, y eso es lo que pretende hacer el niño. Quiere que todo se haga a su manera y si no lo consigue, se enfada mucho y tiene pataletas.

CONSTRUCCIONES

Apilar bloques y cubos ya no tiene misterio para él: se ha convertido en todo un experto levantando torres.

NECESIDAD DE COLABORAR

Quiere participar de la rutina de la casa con pequeñas colaboraciones, como meter la ropa sucia en el cesto, llevar un plato a la cocina, colocar sus zapatos en su sitio, etc. Padres y cuidadores incentivarán esta predisposición natural para convertirla en un acto de todos los días.

33 Como tú

Si en una casa se ha establecido una rutina, lo más probable es que el niño la asuma y la siga. Aproximadamente la misma hora para las comidas, el baño siempre antes de la cena, la hora de irse a dormir, no dejar que salga de la cuna cuando a él le parezca, etc. Proponemos unos juegos para que el niño asimile sus pequeñas obligaciones diarias.

actividades

Familia de osos • Dar de comer • Canciones infantiles • Estirar las frases al hablar • Leer un libro • ¿Qué cosita es?

FAMILIA DE OSOS

Con unos ositos de peluche (valen otros animales), **estableceremos los roles** que corresponden al padre, la madre, el hermano/a y el niño. Con ellos hacemos **una pequeña representación** para reflejar las actividades habituales que forman parte de la vida del niño. Después le dejaremos que él maneje el oso que le representa para que mamá oso le vaya indicando todo lo que tiene que hacer y él lo cumpla: bañarse, comer todo lo que hay en el plato, prestar sus juguetes al hermanito, meter los juguetes en el cesto, etc. Sin darse cuenta, el niño va interiorizando todas estas actividades que conforman su día a día.

"cómetelo **todo**"

DAR DE COMER

Colocamos una muñeca o un peluche en la trona del niño o en la silla habitual que utiliza para comer. Le ponemos uno de sus baberos y un platito con cuchara delante. Le pedimos al niño que dé de comer a la muñeca o el peluche, nos alejamos un poco y observamos. Comprobamos cómo es capaz de desenvolverse y **asumir responsabilidades**.

34 Practicar el lenguaje

Al niño que no recibe estímulos del lenguaje le cuesta más aprender y tarda en soltarse a hablar. Aunque vaya a la guardería, en casa también podemos hacer mucho para que adquiera más vocabulario y se anime a hablar. Si aprende palabras en un ambiente de diversión, será más fácil que las haga suyas y las empiece a utilizar.

LEER UN LIBRO

Nos sentamos a su lado y **vamos contando el cuento a la vez que señalamos con el dedo** todos los personajes que están ilustrados en sus páginas. También iremos indicando su color de pelo, la ropita que llevan, la actitud que tienen, etc. A través de los cuentos es la mejor forma de descubrir la realidad.

CANCIONES INFANTILES

Es pronto para que pueda cantar siguiendo una entonación. Pero sí está capacitado para **repetir palabras** y a veces frases sencillas (depende de los niños). Le ponemos **las mismas canciones infantiles** durante una semana, todos los días. La siguiente semana cambiamos el repertorio. De esta manera, irá ampliando su vocabulario: lo interioriza y lo más probable es que se lance a utilizarlo. Aunque no cante, esta actividad sirve para que vaya aprendiendo vocabulario y enriqueciendo su lenguaje para cuando esté preparado para hablar de una manera más rápida.

ESTIRAR LAS FRASES AL HABLAR

Cuando el niño dice una **palabra** (tanto si la pronuncia bien como si no es así), la repetimos **incluida en una frase**. Por ejemplo, si dice «mimir», nosotros completamos la frase: «Sí, es hora de dormir». Su seguridad se verá reforzada porque comprende que le hemos entendido y además le ofrecemos una frase completa para que vaya aprendiendo.

¿QUÉ COSITA ES?

Con este juego clásico no se busca que el niño sepa la respuesta, pero sí aprender. Le preguntamos: ¿Qué cosita es? Y describimos el objeto: es amarillo y redondo. Y al cabo de unos segundos decimos: ¡Es una manzana! Podemos recurrir a este juego **en cualquier lugar**: en casa, en el parque, en el coche, en la sala de espera del pediatra...

a los 22 meses...

E stá a punto de cumplir los 2 años de edad y sus gustos ya son conocidos por toda la familia. Está configurando su personalidad a través de sus preferencias. Cuando exige algo que le gusta es para reafirmarse, más allá de usar, sujetar o comer lo que está reclamando. Es una personita que busca su sitio en un mundo nuevo que descubre mes a mes a través de las actividades y los juegos.

Jugar solo

El hecho de no querer jugar con otros niños no debe preocupar a padres ni cuidadores. **Es normal** que el niño juegue solo, aunque de vez en cuando lo hace con otros niños. Y si se junta a otros niños para jugar, también parecerá que lo hace solo porque casi no interactúan, aunque realicen la misma actividad.

El aislamiento que parece experimentar forma parte de su crecimiento y le permite la evolución mental necesaria para ir avanzando. Desde su marcada posición individual, el niño:

• Establece una correlación entre objetos y personas.

• Mejora su capacidad de observación.

• Establece las bases para conocer el ambiente en el que está.

• Aumenta su autonomía y capacidad de resolución.

Progresos con las manos

Ha aprendido a dominar las manos y su coordinación, sobre todo en las distancias cortas. Se pone a prueba con **actividades que precisan mucha concentración**. Y es capaz de manipular objetos y piezas más pequeñas. Los juguetes con ruedas (coches, caminones...), las piezas encajables de construcción, palas y rastrillos, etc., son idóneos en esta etapa.

Las capacidades

EL SIGNIFICADO DE LAS PALABRAS

Mecánicamente, puede hablar. Pero eso no supone que sepa otorgar significados precisos a las palabras. Antes debe decir una palabra debe conocer el concepto.

PREFIERE USAR UNA MANO U OTRA

Aunque no está definido del todo si es diestro o zurdo, sí se empieza a observar una tendencia a usar más una mano u otra. La mayoría de los niños de esta edad son ambidiestros.

SUS NECESIDADES

Es consciente del momento en que hace sus necesidades y se va a un rincón o se pone colorado. Falta menos para quitar el pañal.

MÁS TRANQUILO

Es menos nervioso e inquieto. En este mes se aprecia una actitud general de más tranquilidad y sosiego que en el trimestre anterior.

"yo solito agarro la cuchara..."

ADQUIERE HABILIDAD CON LA CUCHARA

Pide que le dejemos comer solo. Aunque todavía le falta cierta destreza, es capaz de comer solo y cada vez lo hace mejor. Se siente atraído por nuevos alimentos. El aspecto y la consistencia de los alimentos le atraen más que el propio sabor.

MIEDOS

Siente miedos al ir a dormir. Pueden ser cosas inventadas o reales que le hayan pasado durante el día.

GRAN COORDINACIÓN ÓCULOMANUAL

Es capaz de mirar un objeto y casi a la vez atraparlo; es decir, la reacción es inmediata. No necesita pararse un rato para pensar en la siguiente acción. Esta habilidad le resulta muy útil para interactuar y jugar con otras personas (niños y adultos) cercanas a él.

35 Pieza a pieza

*L*os progresos que está haciendo con las manos son evidentes. Debe practicar para mejorar la coordinación y la presión fina. Cualquier actividad que precise el trabajo con las manos ayudará a su correcto desarrollo.

actividades

Tabla de carpintero
• Hacer collares • Página
a página • Soy un …
• Marionetas

TABLA DE CARPINTERO

Hacemos agujeros de distinto diámetro en una tabla de madera. La lijamos si implica peligro para el niño. Le facilitamos diversos elementos, como cuerdas, clavos gordos, tornillos gruesos... Le explicamos que **debe atravesar los agujeros** con ellos.

"mira cómo me ha
quedado"

HACER COLLARES

Le damos unas **cuentas grandes de colores y un cordel**. Le mostramos cómo ensartar la primera cuenta y dejamos que él haga el resto. Se sentirá muy satisfecho cuando haya ensartado todas las cuentas. Lo deshacemos y vuelta a empezar. Precisión, atención, coordinación... son muchas las capacidades que se activan con esta sencilla actividad.

La hora del juego...

 36 Aprender con animales

$\mathcal{L}$os animales suelen fascinar mucho a los niños de esta edad. Ahora es cuando empieza a distinguir unos de otros y a conocer sus nombres. Le gusta verlos en libros, en la televisión en movimiento y en los juguetes. Esta atracción es muy útil para ampliar su vocabulario y aprender actitudes.

"¡soy un lobo feroz!"

MARIONETAS

Con unas sencillas marionetas de dedo, crearemos una peculiar **pandilla de animales**. Como en la naturaleza, cada uno tiene su rol: inventaremos un diálogo y una pequeña historia, pondremos la voz más o menos grave en función de qué animal se trate, los agitaremos en el aire...

SOY UN...

Nos ponemos a cuatro patas e **imitamos a un animal** en concreto **y su sonido**. El niño no tardará en colocarse a nuestro lado para representar a ese animal. «Miauuu», «Guau guau», «Beeee», «Muuuu»... la diversión está asegurada mientras descubre los animales y sus sonidos increíbles.

PÁGINA A PÁGINA

Nos sentamos a su lado con un libro de dibujos o fotografías de animales. Le pedimos que pase las páginas y **le vamos diciendo el nombre de los animales**. También señalamos las partes de su cuerpo para que las aprenda: orejas, cuernos, pezuña, cola, caparazón... El mundo animal nunca dejará de interesarle, por eso es bueno recurrir a él para aprender mucho.

a los 23 meses...

Está avanzando en el proceso de socialización a un ritmo muy rápido. Conocerse cada vez mejor a sí mismo le permite sentirse integrado y capaz de crear lazos afectivos con otras personas. Es un ser con empatía consciente de cuando alguien lo está pasando muy mal, o bien se está divirtiendo mucho. Es capaz de llorar con otros si ve que estos lo hacen, pero también de divertirse y reír con ellos.

Los sentimientos

Al final de este trimestre es capaz de **reconocer el estado de ánimo de las personas** de su entorno. Antes dichos estados de ánimo también le influían, pero él no era consciente de cuáles eran esos sentimientos. En cambio, ahora ya sabe distinguir entre alegría, enfado, tristeza... Eso le sirve para reconocer su propio estado de ánimo y ser capaz de verbalizarlo.

Es un paso más en la comunicación que establece con adultos y con otros niños, lo que facilita enormemente su proceso de socialización.

El sentido del humor

Si antes parecía que no reaccionaba ante los dibujos animados que veía en la televisión, ahora empieza a demostrar que entiende el sentido del humor. Se **ríe con determinadas situaciones** que observa en la televisión y en la vida real. Y también provoca situaciones para que los demás se rían.

Le gusta representar caídas, tropezones, hacer que engaña a los otros escondiendo objetos, disfrazarse, etc. Todo ello implica un grado de inteligencia y de haber asimilado muchas cosas.

Las capacidades

SIENTE EMPATÍA

Tiene empatía con los demás y se da cuenta de los sentimientos de otras personas de su entorno: si están tristes, si lloran, si están enfadados, si están alegres...

USA LAS TIJERAS

Con gestos torpes y poco eficaces, ya empieza a usar las tijeras para cortar papel o cartulina. Por supuesto, deben ser tijeras de punta redonda para no dañarse.

SENTIDO DEL HUMOR

Muestra sentido del humor, empieza a gastar bromas y espera la reacción del adulto.

JUGUETES ESPECIALES

Demuestra un interés claro y una especial preferencia por algunos de sus juguetes.

"así parezco una mamá..."

MUY COLABORADOR

Le gusta colaborar en casa. Se siente importante y quiere participar en todos los quehaceres de la casa, aunque no siempre sea posible debido a su integridad física.

JUEGOS DE SIMULACIÓN

Tiende a los juegos de simulación. Imitar lo que ha visto hacer a los adultos es su entretenimiento favorito: desde vestirse de mayor con tacones y bolso hasta cuidar de sus muñecos y mimarles como si fueran ellas mismas.

SE SIENTE ORGULLOSO DE SUS COSAS

Manifiesta orgullo por algunas de sus pertenencias. Muestra con mucha alegría algunos de sus juguetes y pertenencias (ropa, zapatos, mantita...), esperando muestras de admiración por nuestra parte. Es una forma de hacernos partícipes de sus pequeñas tesoros.

a los 23 meses...

37 Atrápame si puedes

Los juegos de persecuciones son de los más preferidos por los niños de cualquier cultura. No solo resultan fantásticos para reforzar su musculatura y su coordinación, sino que facilitan la capacidad de reacción y la rapidez mental. Disfrutan persiguiendo, siendo perseguidos, escondiéndose y localizando a alguien.

actividades

Persecución de animales • El escondite • Poner caras • Las consecuencias • Pintar y pintar

"aprendiendo a esconderse"

PERSECUCIÓN DE ANIMALES

Nosotros hacemos el papel de ratoncito, mientras que el niño será el gato y **nos perseguirá**. Después cambiamos por otros animales, por ejemplo cebra-león, gusano-pájaro, pez pequeño-tiburón... A través de este peculiar pilla-pilla, aprenderá mucho sobre los animales, además de hacer ejercicio, mejorar su coordinación, aumentar su capacidad motora... Todo son beneficios.

EL ESCONDITE

Primero nos escondemos nosotros en algún lugar de la casa y llamamos al niño. Cuando nos encuentre, **recibirá un premio: ¡cosquillas!** Después le toca el turno de esconderse: nos sorprenderá la habilidad que tiene para esconderse y quedarse completamente callado. Ha comprendido perfectamente la dinámica del juego. Y la pone en práctica también en los espacios abiertos porque así se siente uno más del grupo social.

38 Las emociones

Saber reconocer emociones y sentimientos es una manera de crecer y evolucionar, tanto en el caso de niños como en el mundo de los adultos. Cuando el niño los distingue en los demás, el siguiente paso es hacerlo en su persona y decirlo: «Estoy triste», «Me siento feliz»... En esta etapa el adulto debe tener cuidado para no transmitirle sentimientos negativos (tristeza, angustia, nerviosismo...) porque es muy pequeño para saber gestionarlos.

"me siento **muy** contento"

En un papel dibujamos **caritas con expresiones**. O también hinchamos varios globos y les dibujamos distintas expresiones con un rotulador. Los dejamos por el suelo y le decimos al niño «Quiero estar alegre» para que nos traiga el globo con la expresión correspondiente.

PINTAR Y PINTAR

LAS CONSECUENCIAS

Utilizando algún muñeco haremos que este desordene un poco el cuarto. Entonces regañamos al muñeco y le decimos que estamos disgustados. Pero cuando el muñeco ordene, le **transmitiremos nuestra satisfacción y alegría**. Después, el niño nos reemplazará en nuestro papel y aprenderá a discernir si lo que hace el muñeco es correcto o no. Es un clásico juego de rol muy útil para comprender las emociones y sentimientos, además de las consecuencias de sus actos, en este caso ordenar o no.

PONER CARAS

Nos sentamos delante del niño y **nos tapamos la cara** con las manos. **Cada vez que las retiramos, le enseñamos una expresión** y le decimos qué nos sucede: «Estoy alegre», «Quiero llorar», «Me he enfadado»... **Después le toca a él hacer lo mismo**: taparse el rostro y cambiar la expresión. Jugando descubrirá cómo son los sentimientos y las emociones.

a los 24 meses...

El hecho de alcanzar la edad de 2 años es un hito en la vida de todo niño. Incluso su físico cambia: deja de ser tan redondito como cuando era un bebé y adquiere un aspecto parecido al de un adulto. Es consciente de sus propios cambios y aunque le gusta actuar como un adulto y considerarse a sí mismo como tal, en otras muchas ocasiones recurre a su ya conocido comportamiento de bebé.

Imitar sexos

Es consciente de la diferencia de sexos. Las **niñas suelen imitar las actitudes de las madres y los niños, las de los padres**. Pero no siempre es así: a veces hay chicos a los que les gusta vestirse, maquillarse y peinarse como la madre. Esto lo único que significa es que está experimentando porque está en pleno desarrollo.

Los padres no deben intentar analizar en profundidad dichos actos: el niño está descubriendo el mundo y cuando sea algo mayor, tomará sus propias decisiones.

Lavarse los dientes

Ya está listo para **asumir alguna rutina** nueva en su higiene. Le invitaremos a lavarse las manos solito y secárselas. Y también a lavarse los dientes con una pasta dentífrica específica para niños. Aunque estas actividades supongan que moja el suelo o deja manchado el lavabo, debemos dejar que las haga porque forman parte de su aprendizaje. Cada día irá haciéndolas mejor.

Además, si acude a una guardería, seguramente allí también las realiza, lo que ayudará a reforzar lo que se le está enseñando en casa y percibirá coherencia (aunque no sea consciente de ella) entre lo que aprende en un sitio y en otro.

Señalar con el dedo

Sigue señalando los objetos con el dedo, como ha venido haciendo en los últimos meses. **Es su manera de identificarlos y clasificarlos**. En su mente está formando imágenes de dichos objetos, las organiza por categorías y las clasifica.

Evidentemente, lo hace de una manera inconsciente, pero gracias a ello está reconociendo e identificando el mundo que le rodea. En breve dejará de señalar con el dedo, pero seguirá clasificando los objetos en su cabeza. Todo pasa por dicha clasificación antes de ser comprendido: los adultos, los otros niños, los animales, los objetos, los alimentos, la ropa, sus juguetes, las partes del cuerpo, los colores, las formas... Todo es clasificado: por ejemplo, un chico de unos 25 años será considerado por el niño como «un papá», no como un varón adulto. Cada niño establece su propio criterio.

Las capacidades

QUITAR EL PAÑAL

El niño está preparado para no usar el pañal durante el día, aunque sí se lo pongamos por la noche. Si desmuestra que es capaz de estar sin pañal un par de meses durante el día, se lo quitamos por la noche.

MÁS MEMORIA

Está desarrollando la memoria. Para ello necesita mencionar los objetos y repetirlos varias veces: es como si los estuviera memorizando para después decir su nombre.

AGUANTA SENTADO

Es capaz de pasar bastante rato sentado, ya sea viendo la televisión, dibujando o disfrutando de un libro.

OBJETO REAL

Prefiere objetos reales a sus juguetes, ya que quiere imitar a los adultos, se decanta por las cosas de estos antes que por sus juguetes.

"yo ya puedo jugar sentado..."

JUEGA CON OTROS NIÑOS

Empieza a buscar la relación con otros niños. Aunque sigue prefiriendo a los que son mayores que él, tolera cada vez más a los de su edad. Sus juegos juntos no duran mucho rato, pero así es como se empiezan a relacionar.

CONVERSACIONES

Es capaz de mantener una conversación corta diciendo dos o tres frases seguidas y se hace entender muy bien.

MASTICA DE MANERA MECÁNICA

Hasta ahora tenía que pensar y poner mucho interés en lo que estaba haciendo para poder masticar. Pero a partir de este momento mastica de manera inconsciente porque ya ha aprendido e interiorizado un acto diario como es masticar la comida.

39 La higiene

Adquirir la rutina de la higiene es complicado para un niño si no lo pone en práctica de una manera lúdica. Aquí ofrecemos algunos ideas divertidas para que vaya introduciendo estos hábitos en su día a día. Poco a poco irá asimilando aspectos como la limpieza de los dientes, su aseo personal, evitar limpiarse las manos en la camiseta...

actividades

Lavar muñecos
• Dientes limpios •
Personalizar el orinal •
Con los muñecos • Por
imitación • Fijar
horas

LAVAR MUÑECOS

Le explicamos que igual que mamá o papá le cuidan, él debe hacer lo mismo **con sus muñecos**. Para ello introducimos uno en la bañera y le pedimos que **lo lave y luego lo seque**.

"aprendiendo a ir limpito"

DIENTES LIMPIOS

Nos ponemos a su lado frente al espejo. Colocamos **pasta dentífrica en nuestro cepillo de dientes, y luego la suya en su cepillo**. Nos lavamos los dientes para que él nos imite. Lo haremos así los primeros días, pero después debemos dejarle solo.

La pasta dentífrica infantil tiene un sabor muy rico y dulzón, por lo que intentará comérsela. Hay que explicarle que eso no se debe hacer porque le sentará mal.

40 Trucos para dejar el pañal

*A*bandonar definitivamente el pañal es un logro que hará que el niño se sienta mayor y asuma esa pequeña responsabilidad. Sin el pañal se sentirá con más libertad de movimientos y le encantará, por lo que hará esfuerzos para no tener que usarlo.

PERSONALIZAR EL ORINAL

Para que sienta el orinal como un objeto suyo y de nadie más, **le animaremos a pintarlo o pegarle pegatinas**. Una vez decorado, comprenderá que es suyo y eso reafirmará su autonomía frente a los demás miembros de la familia. Así resultará más fácil que asuma este paso tan importante en su evolución. Cualquier estrategia es bienvenida si se logra el objetivo.

POR IMITACIÓN

Pedimos a **hermanos o primos mayores que orinen** en el inodoro delante del niño pequeño. Aprender por imitación siempre es muy efectivo porque es a lo que tienden los niños para ser mayores. Aprovechemos esa capacidad de imitiación innata que poseen.

"¡no necesito el pañal!"

CON LOS MUÑECOS

Los **juegos de representación** sirven para trasladar el mundo del juguete lo que sucede en la vida real: un truco muy usado en pedagogía. Haremos que el niño le quite el pañal a una muñeca y la siente en un orinal de juguete. Si no disponemos de uno, buscaremos un bol de plástico para que haga las veces de juguete. Es una estrategia muy sencilla, pero altamente recomendable por su gran eficacia.

FIJAR HORAS

Si nuestro hijo es de los que aguantan bastante tiempo sin orinar, durante el día podemos establecer unas horas fijas para sentarle en el orinal. De esta manera, sabrá cuándo le toca y aguantará sin orinar hasta ese momento. Después de un par de meses con esta estrategia, esperaremos a que él pida el orinal porque habrá interiorizado perfectamente que debe orinar en él y no hacérselo encima.

de 25 a 36 meses...

El uso correcto de sus sentidos le permite:
- Conocer todo lo que hay en su entorno
- Comprender la información que le llega
- Ir conociéndose a sí mismo

actividades

El lenguaje • Los sentimientos • Sus capacidades • La socialización • Psicomotricidad • Con autonomía

Aunque llegado a esta etapa, no se detectan cambios tan evidentes cada mes como sucedía antes, el niño sí continua su aprendizaje vital, una vez establecida la base. Por eso analizamos sus capacidades de manera específica en cada ámbito de su evolución.

Sentimentos

Aunque cada vez está **más seguro de sí mismo**, también es consciente de los peligros que existen en su entorno y eso le genera cierto **miedo y angustia**.

Autonomía

Puede realizar diversas tareas o actividades con autonomía, entre ellas comer solo, gracias a la coordinación tan evolucionada que posee. Otras **actividades nuevas** en esta etapa son lanzar objetos e intentar cogerlos con los brazos estirados, lavarse los dientes, cepillarse el pelo, dibujar de una manera más controlada... Y coloca los dedos para indicar su edad.

Lenguaje

Gracias a su capacidad lingüística, es capaz de comunicarse con un **lenguaje comprensible y claro y con un discurso coherente** y acorde a cada circunstancia. Habla y habla constantemente para practicar el vocabulario nuevo y asimilar todo lo que ve y aprende.

Socialización

Se siente **integrado en el grupo**, le gusta jugar con otros niños y estar con los adultos. Sin embargo, **sigue mostrando cierta timidez inicial**, que en el caso de algunos niños les impide relacionarse con otros de una manera distendida.

Capacidades

El desarrollo cognitivo se ha **adaptado al medio físico** y eso le permite continuar con su aprendizaje. Sin embargo, **su concepción del espacio todavía no es comparable a la de los adultos** porque sigue siendo bastante rudimentaria. Pero entiende qué significa la **relación causa-efecto** porque lo ha comprobado por sí mismo.

Psicomotricidad

Sus **destrezas físicas son evidentes** y evolucionan constantemente. Cada vez que aprende algo nuevo, nos lo muestra en un alarde de habilidad y coordinación física. Ahora puede **caminar hacia atrás** y le divierte hacerlo. **Sube tres escalones seguidos** sin ayuda. **Corre con facilidad** y cada vez más rápido. Puede **saltar con los pies juntos**. Es capaz de ir con firmeza y equilibrio en **motos de juguete y patinetes**.

el lenguaje...

A lo largo de este año se completa la evolución lingüística del niño. Pasa de mantener cortas conversaciones a partir de dos o tres frases a los 25 meses a establecer un diálogo más fluido a los 36 meses. Desarrollo cognitivo, comprensión, coordinación y razonamiento van de la mano en este proceso de aprendizaje.

Aunque nadie me escuche

El niño **aprende palabras nuevas constantemente**. Se calcula que cada mes incorpora entre seis y diez palabras a su vocabulario, las cuales van aumentando en complejidad a medida que crece. Si alguien se lo pide, es **capaz de decir su nombre**. Le gusta aprender nuevo vocabulario que no solo sirve para comunicarse, sino también para asimilar lo que le sucede.

Cada vez **habla más rápido y de manera más clara**, lo que ampliará su capacidad para relacionarse con otras personas, ya sean niños o adultos. Por eso es habitual que **hable sin parar, incluso cuando está solo** y nadie le está escuchando. Debemos dejarle en esos momentos porque forman parte de su desarrollo lingüístico, cognitivo y de la personalidad.

Los porqués

Es la etapa del ¿Por qué?, ¿Por qué?, ¿Por qué? Seguramente hará la misma pregunta varias veces seguidas. Hay que tener mucha paciencia, no desesperar y responderle siempre. Un niño **realiza estas preguntas por varios motivos:**

• El primero y más evidente es porque **quiere una explicación** sobre algo que no acaba de comprender.

• También **expresa curiosidad** por lo que le ha llamado la atención.

• Y otro es la **mera satisfacción** de decir una pregunta que requiere una respuesta larga. Es su forma de sentirse mayor.

La hora del juego...

Escucho, hablo, aprendo

A demás de las necesarias conversaciones que se establecen en una casa todos los días, existen actividades y juegos que fomentan la capacidad lingüística del niño y le aportan un mayor conocimiento sobre su propia realidad y el mundo en general.

CAMBIAR LA LETRA

Le ponemos canciones infantiles siempre que podamos porque al sentirse atraído por el ritmo **irá aprendiendo mucho vocabulario** de una manera inconsciente y lúdica. Cuando haya aprendido una canción, la cantamos nosotros cambiando alguna palabra: enseguida se dará cuenta y se partirá de la risa pensando que no la sabes. Es el momento de pedirle que la cante bien y nos la enseñe.

LLAMA POR TELÉFONO

El teléfono les atrae y necesitan usarlo para seguir practicando con el lenguaje. **Hacemos que le llamamos y le preguntamos cosas sencillas:** ¿Quién eres?, ¿Dónde estás?, ¿Cuántos años tienes?, ¿Quieres venir a merendar?, ¿Qué color te gusta más?... Realizamos la pregunta, esperamos su respuesta y colgamos. Ahora le toca su turno de preguntas, que es algo más complicado que responderlas. A medida que crece, la conversación y las preguntas se irán complicando para darle la posibilidad de expresarse.

TE TOCA SER...

El juego de los roles es muy divertido, pero tiene **cierta complejidad** porque hay que ponerse en el papel de otro y actuar como tal. Lo más sencillo es comenzar con la imitación de animales. El niño entiende que no actúa igual un gatito que un tigre. Durante un rato cada uno será un animal para después intercambiar los papeles. El siguiente paso es **jugar a ser otras personas:** deberá actuar como lo haría un bebé, o bien ser el profesor, el veterinario o el pediatra. Le enseñaremos que cada uno de ellos se expresa de una manera diferente y que él es capaz de imitar a todos.

"¡qué bien lo digo!"

los sentimientos... emociones empatía

Durante este año el niño va conociéndose a sí mismo y dentro de ese proceso vivirá las típicas pataletas porque no acaba de comprender qué le está sucediendo. Dentro del ámbito de las emociones está incluido el miedo: empieza a ser más consciente de los peligros que existen y eso le provoca cierta angustia.

El estado de ánimo de los otros

No será hasta que cumpla los 3 años cuando el niño se interese por el estado de ánimo de otras personas y por **conocer qué motiva su manera de actuar**. Hasta que llegue ese momento, el egocentrismo y cierto egoísmo dominan sus emociones y reacciones y sufrirá de algunos episodios con pataletas, gritos, empujones, gruñidos, etc.

La mejor noticia: las temidas pataletas significan que el niño está cambiando y evolucionando, y que no duran toda la vida... Cuando empiece a demostrar interés por los demás, le resultará mucho más fácil hacer amigos e integrarse en un grupo de niños.

Las pataletas

Es normal que el niño de esta edad quiera imponerse siempre y sea muy terco. Para conseguir lo que quiere, recurre a las pataletas, gritos y rabietas. Su máximo deseo es **ser independiente de los adultos**, pero lo único a lo que recurre es a imponerse como sea porque piensa que sus decisiones son las válidas.

Cuando se produce una rabieta, lo mejor es **esperar pacientemente a que pase** y cuando se haya calmado, hablar con el niño sobre lo que ha sucedido para que comprenda que así no se consiguen las cosas y que esa actitud supone que todavía es pequeño. A esta edad hay que **establecer normas y límites muy claros** para controlar en todo lo posible las explosiones de genio.

42   Identificar emociones

Trabajar las emociones es una excelente manera de comprenderse a sí mismo, el mundo en el que vivimos y saber reaccionar ante ellas. A través de unas sencillas actividades, el niño evolucionará y se sentirá mucho más seguro de sí mismo.

Primero decidimos a qué jugamos. Cuando se haya cansado de tu juego, le toca a él: **debe tomar la decisión** de cuál va a ser el siguiente juego. De esta manera irá aprendiendo a tomar decisiones, planificar, organizar y establecer normas. No importa que el juego sea muy sencillo, lo que interesa es que te lo explique y decida por sí mismo.

LAS NORMAS EN EL JUEGO

Explicarle un juego nuevo con algunas normas le servirá porque al seguirlas, se sentirá más tranquilo, seguro de sí mismo y con menos explosiones de carácter (pataletas, gritos o rabietas...). Las normas tanto en el juego como en su día a día le **ayudan a orientar correctamente sus acciones y controlar las emociones** desbordadas.

"yo también soy feliz"

YO ME SIENTO ASÍ

Con dos o tres muñecos, realizaréis una pequeña representación en la que cada uno tiene un papel determinado. Se trata de **mantener una conversación entre los personajes.** Dentro del pequeño mundo que conoce, son recurrentes las representaciones sobre unos padres y sus hijos, una profesora y sus alumnos, el pediatra y su paciente, los amigos del parque... Otro día, intercambiaréis los papeles. Debes dirigir la conversación para que exprese sus sentimientos, **se ponga en el lugar del otro** y sufra o se alegre con él. Un juego sencillo para algo tan complejo como son los sentimientos y las emociones.

*H*asta ahora el niño no estaba capacitado para comprender muchas cosas porque el centro de su vida era él. A partir de este momento ya reconoce la existencia independiente de personas y objetos y eso le permite ampliar su campo de interés e indagar en él. Y sabe crear una imagen mental de ellos cuando no están delante.

Representar lo ausente

*A*hora el niño **es capaz de crear sus propios juegos**, con sus personajes y sus normas. Puede buscar sus recursos si no dispone de los que necesita en ese momento. Por ejemplo, usa una caja grande de cartón a modo de coche porque es capaz de visualizarlo. Empieza a desarrollar la fantasía y la creatividad, tan necesarias para una correcta evolución en esta etapa del desarrollo.

La manera de razonar

*E*l niño **relaciona una palabra con una cosa determinada** y no es capaz de comprender que dicha palabra se refiere a todas las cosas que son iguales. Por ejemplo, en su pensamiento la palabra «gato» solo se refiere a su propio gato. Pero de repente un día descubre que los otros gatos también reciben ese nombre. Eso le sorprenderá y todavía tardará un tiempo en asimilar completamente que todos los animales como ese son gatos.

Esta manera de pensar está estrechamente relacionada con su egocentrismo: solo existe lo suyo y para él no es posible que haya nada más allá de su pequeño mundo.

Masculino y femenino

*C*omo está descubriendo las diferencias entre masculino y femenino, reforzará su rol. Una niña imitará las actitudes y posturas de las mujeres, mientras que un niño hará lo propio con las de los hombres. Es una manera más de **reafirmar su personalidad y su propio ser**.

Muestra una preferencia muy clara hacia un tipo de juegos y juguetes, rechazando aquellos que no cumplen con los parámetros de su propio criterio personal. Ni siquiera intenta jugar con ellos: nada más verlos, decide que de ningún modo los va a usar.

La hora del juego...

43   Maneras de pensar

*A*yudarle a entender que el mundo en el que vive no siempre es igual y que se puede cambiar o improvisar es fundamental para que crezca. Como ya hemos explicado, la rutina le aporta seguridad, pero cierta improvisación le estimula enormemente.

DISFRACES CASEROS

Con material que tengamos en casa (papel, rotuladores, cartulina, toallas, papel de aluminio, collares llamativos...) elaboramos junto al niño un **disfraz de su personaje favorito**: pirata, superhéroe, princesa, bruja...

LOS ROMPECABEZAS

Los rompecabezas o puzles existen para todas las edades. Nos sentamos a hacerlo con él para explicárselo y que luego lo intente solo. Hay que fijarse en la edad indicada en la caja porque no vale la pena comprar uno de más edad porque pensemos que nuestro hijo es muy inteligente. Este juguete clásico es **muy útil para mejorar muchos aspectos**: memoria, paciencia, concentración, rapidez visual, agilidad con las manos...

¿CUÁL ES EL DIFERENTE?

En un plato grande colocamos dos mandarinas y un plátano. Le preguntamos cuál es distinto. Después ponemos dos galletas cuadradas y una redonda y pedimos que señale la que es diferente. A través de esta sencilla actividad, **aprenderá los conceptos de igual y diferente**.

PRÉSTAME TU JUGUETE

DENTRO Y FUERA

En **la arena del parque** hacemos una gran circunferencia. Saltamos dentro diciendo: «Ahora estoy dentro». Le pedimos que haga lo mismo. Después toca saltar fuera y decir: «Ahora estoy fuera». Hacemos lo mismo con un triángulo y con un cuadrado. Jugando, el pequeño podrá interiorizar los conceptos de dentro y fuera y aprenderá las figuras.

Cuando esté en el parque, intentamos que **intercambie juguetes con otros niños**. Más allá de la socialización que esto supone, le ofrecemos un curso intensivo de asimilar otra realidad a través de un juguete que hasta ahora no conocía.

la socialización ...

 amistad    **convivencia**

El niño empieza a descubrir lo divertido que es jugar con otros niños. En esta etapa ya no le molesta tanto la presencia de otros niños e incluso los busca para sentir su compañía. Interactuar con niños de su edad y no solo con adultos como hacía hasta ahora es un paso más hacia la madurez.

Un amigo imaginario

Muchos niños crean amigos imaginarios y les ponen un nombre. No debemos alarmarnos porque es un hecho que sucede a menudo, aunque los padres no siempre se enteran ya que no todos los niños hablan de ellos. Es **un recurso de la mente** para asimilar los cambios, tomar conciencia de su desarrollo y fijar su sistema de valores. Algunos amigos imaginarios duran más que otros, pero en **general desaparecen** hacia los 6 años.

Aprender a compartir

A esta edad muchos niños asisten a centros infantiles y guarderías. Allí descubren que son uno más y que **no son siempre los protagonistas**. Empiezan a mostrar cierto interés en socializarse.

El niño que acude a una guardería **piensa que todos sus compañeros son sus amigos**. Al principio, no querrá compartir los juegos con ellos, pero poco a poco comenzará a interactuar según su propia madurez se lo permita. Y muchas veces lo que sucede es que los niños permanecen en el mismo espacio (una clase, el patio...) y cada uno realiza una actividad distinta, pero están juntos y esa sensación les gusta porque se sienten acompañados.

Y si al principio son poco simpáticos, poco a poco descubrirán que los pequeños gestos amables forman parte de la amistad.

Cierta agresividad

Es normal que los niños **demuestren en ocasiones cierto rechazo e incluso agresividad** hacia otros niños: se trata **siempre hechos aislados**. Pero aunque entre dentro de la normalidad, debemos explicar siempre a nuestro hijo que eso no se hace y regañarle si lo repite. Por eso, cuando un niño es muy agresivo de manera habitual es que existe algún problema que debe ser resuelto. En estos casos es mejor consultar con el pediatra.

La hora del juego...

44 Pertenencia al grupo

Juegos de integración y actividades compartidas son la clave para que el niño descubra lo fantástico que es compartir y reírse junto a otros niños. Viven en sociedad y es ahora cuando comienzan a darse cuenta de ello.

"soy uno más del grupo"

COMPARTIR, SIEMPRE

En cada ocasión que podamos, pediremos al niño que deje su juguete a otro. Cuando lo haga, le alabaremos intensamente porque se trata de un acto difícil de asumir por un niño de esta edad. Aunque ya vislumbra que compartir y dar son acciones imprescindibles para hacer amigos. **Si no lo hacen, los demás no querrán jugar con ellos.** Lo sabe porque seguramente ya lo ha experimentado y porque lo observa en otros niños.

TE TOCA EMPUJAR

Primero uno de los niños se sienta en el trenecito y el otro le ayuda a avanzar. Luego **cambian los papeles**: el que empujaba se sienta y el que estaba sentado ahora empuja. Así aprenderán a respetar los turnos, colaborar y tener paciencia, además de estrechar los lazos de amistad.

SALVAMENTO MARÍTIMO

Pedimos al niño y un amigo que se coloquen en una alfombra y les explicamos que están en un barco. De repente **hay una tormenta y la barca empieza a zozobrar.** Uno de los niños se caerá al agua. El otro deberá darle la mano y tirar de él para salvarle. Ambos harán el papel de náufrago y el de salvamento. Con este divertido juego descubrirán el valor de ayudar a los demás.

YO REPARTO

Nos sentamos en el suelo en círculo junto al niño y un oso de peluche. En el centro ponemos un montón de algo: uvas, lapiceros, ceras... **Le pedimos que haga el reparto.** Su tendencia es quedarse con todo el montón, pero le explicamos que así no se juega: tiene que ir repartiéndolos entre los invitados al círculo para que todos disfruten. Se sentirá feliz con esta responsabilidad, satisfecho de veros contentos y además irá aprendiendo los números.

psicomotricidad ...

✓ equilibrio   ✓ movimiento

Cada vez camina con más seguridad y agilidad, y la coordinación es mayor. Como se siente más seguro, ahora le atraen todas las actividades que impliquen movimiento físico, desde el baile a los deportes. Él mismo se pone a prueba y experimenta con cosas nuevas, como intentar sostener un vaso con una sola mano, quitarse los zapatos... Aunque las pautas evolutivas del niño son predecibles, cada uno lleva su propio ritmo.

Habilidades motoras gruesas

Son aquellas que implica el movimiento de todo el cuerpo. **Algunas ya las dominan.** Y durante este año es habitual que intenten practicar otras, aunque sea durante un minuto. Eso significa que en su cerebro ya se está produciendo la evolución necesaria para realizar dichas acciones.

Algunas habilidades motoras son: todos aquellos **movimientos que están relacionados con el equilibrio**, correr, trepar, dar patadas, lanzar (pelotas, piedras...), hacer botar una pelota, saltar con ambos pies a la vez, recibir una pelota con ambos brazos estirados al frente, nadar...

Habilidades motoras finas

Son los **movimientos más concretos** que se realizan con las partes más distantes del tronco, como las manos. Además de las manos y los dedos, otras partes implicadas en las habilidades finas son las muñecas, los labios, la lengua y la boca en general.

Dibujar, soltar el velcro de los zapatos y agarrar pequeños objetos son algunas de las habilidades motoras finas.

Consultar al pediatra si...

Entre los 30-36 meses **no es capaz de** hacer una torre con tres cubos, encajar tres piezas seguidas o no señalar algunas partes grandes de su cuerpo. En la mayoría de los casos, será suficiente con una mayor estimulación. Pero conviene consultar para descartar problemas mayores.

Pensar antes de saltar

Los cambios que se producen en el aspecto físico son enormes desde los 25 a los 36 meses. Una de las habilidades que más ilusión les hace es saltar. Al principio lo hacen con los dos pies a la vez y sobre el mismo sitio, pero para ello se paran y piensan antes de actuar. El nivel siguiente será **saltar impulsándose con ambos pies** y avanzando.

Por último, pero ya a partir de los 36 meses, intentarán saltar a la pata coja, aunque todavía son amagos porque no disfrutan de una gran soltura en esta actividad.

45 Ejercicio físico

Aunque sea cansado para los padres hay que ofrecerle al niño la posibilidad de realizar actividad física todos los días. Más allá del ejercicio físico (que también es muy importante), estos juegos están pensados para que el niño evolucione y sea capaz de identificarse a sí mismo y a los demás.

BALONCESTO EN CASA

Hacemos una gran bola con papeles de periódico. Colocamos una papelera al final del pasillo. Desde el otro extremo **lanzamos por turnos la bola de papel**. El objetivo no es que el niño enceste, sino que practique el lanzamiento y la puntería. Además, ejercitará la coordinación entre la vista y la mano.

SALTAR SOBRE LA CAMA GRANDE

Para los padres no parece muy divertido ver cómo su hijo salta sobre la cama grande, pero para el niño **es una actividad muy completa** en la que entran en juego la coordinación, la resistencia y el equilibrio corporal. Siempre que lo haga, nos quedaremos cerca para insistirle en que salte en el centro de la cama para que no se caiga.

ESQUIVAR OBSTÁCULOS

Colocamos distintos objetos separados y le pedimos que corra hacia ellos, dé una vuelta completa al primero, continúe hacia el siguiente, lo rodee, vaya al otro... y así hasta terminar. La explicamos la norma básica: **no debe tocar los objetos**. Correr, esquivar, girar... son actividades físicas con cierta complejidad a esta edad. Lo más probable es que no le salga a la primera, pero debemos alentarle a seguir para que no tire la toalla y continúe.

EL JUEGO DE LOS BOLOS

El niño creará sus propios bolos, un juego que **fomenta una mejor coordinación general** de todo el cuerpo. Conservamos botellas de plástico o tubos de cartón de los rollos de papel de cocina. Los decoramos con rotuladores o con pegatinas. La distancia a la que deben situarse los bolos es a un metro del niño. Si no disponéis de una pelota blanda, podéis recurrir a unos calcetines enrollados. A medida que el niño demuestre que domina el juego, aleja los bolos.

En este importante año a partir del cual ya ha dejado de ser un bebé para ser llamado niño, hay que evolucionar en dos aspectos en los que se requieren ciertas habilidades: comer solo y dormir bien. Son dos actividades esenciales en la vida de toda personas que requieren cierta madurez para realizarlas correctamente.

Hablar en sueños

No se debe despertar a un niño que habla mientras duerme, excepto si está gritando debido a una pesadilla. **Somniloquia es el acto de hablar en sueños** y solo si se repite con mucha frecuencia habrá que consultar. Es conveniente que al niño no se lo contemos por si se asusta y eso altera su sueño.

Terrores nocturnos

A esta edad los sueños son muy reales y empiezan a sufrir algunas **pesadillas**. Debido a ese miedo hacia los sueños, muchos niños **retrasan el momento de irse a dormir**: seguramente están cansados, pero **el verdadero motivo es el miedo**. Dejar la puerta de su habitación abierta, encender una pequeña luz, cantarle suavemente... son recursos sencillos y muy eficaces.

Los buenos modales

Gracias a las habilidades motoras finas que está desarrollando, el niño va aprendiendo a **comer solo**. Este es el momento de iniciarle en los buenos modales, que podrá incorporar poco a poco gracias a su desarrollo cognitivo y madurez. Para ello hay que animar al niño a **valerse por sí mismo en la mesa**: unos días le costará más que otros, pero enseguida se verán los resultados. La agilidad con las manos de la que ahora disfruta le permite utilizar correctamente los cubiertos. Y está capacitado para masticar con la boca cerrada: cada vez que se le olvide hacerlo, se los recordaremos. Y la prueba de fuego es comer en un restaurante: se sentirá tan mayor que se esforzará por demostrar que él también se porta bien en la mesa.

La hora del juego...

46 Como bien, duermo bien

$\mathcal{C}$apacidad cognitiva y asumir la rutina se dan la manos en dos actividades de todos los días: dormir y comer. A través del juego, el niño irá interiorizando la importancia de ambos.

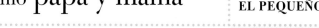

"como papá y mamá"

EL PEQUEÑO CHEF

Procuraremos que el niño ayude en la cocina. Puede hacer pequeñas labores, como secar unos tomates lavados, pasar por harina unas croquetas, usar el rodillo, batir un huevo, etc. Así irá **conociendo los alimentos y disfrutando** con ellos. Es como ponerle el cebo para que se anime a probarlos (aunque luego no le gusten).

HOY TOCA PICNIC

Muchas veces los niños protestan por puro aburrimiento. Ponemos un mantel, los platos y una comida fácil de comer e invítale a un picnic. Os lo pasaréis en grande y disfrutará mucho con **una comida tan divertida**. Querrá repetir cada día, pero es entonces cuando le propondréis un trato: si come bien durante toda la semana, la comida de los sábados será de picnic en el jardín o en el salón de casa.

LA HORA DEL TÉ

En corro os sentáis junto a varios muñecos y peluches. En el centro, colocamos un juego de té de plástico. En esta reunión todos se deben comportar correctamente. Pídele al niño que sirva el té, coloque las servilletas, ofrezca pastas a sus invitados... A los niños les entusiasma **asumir el rol de los mayores** y es una manera lúdica de aprender.

ORDENAR

Cuando ha finalizado la hora del juego, toca el turno de recoger los juguetes. Debemos **implicar a los niños en esta actividad**. Aunque solo metan dos o tres juguetes en su cesto, servirá para que comprendan que deben colaborar en las labores de la casa y que son uno más.

JUEGOS y ACTIVIDADES para el BEBÉ

ETAPA	NÚMERO DE JUEGO	SE TRABAJA	ACTIVIDADES
A LOS 5 MESES	1 ¡Tengo manos y pies!	Motricidad	Más músculo Pies con sonido Hacer una croqueta
	2 ¿Dónde estoy?	Capacidad cognitiva Motricidad	Cucú-tras Crear un móvil para la cuna Muñequitos para la silla de paseo
A LOS 6 MESES	3 Reconocer y reconocerse	Capacidad cognitiva Socialización	La voz de la madre Fijar la atención en los cuentos Álbum familiar
	4 Aprender a desplazarse	Motricidad	Manta de juegos Gira, gira la peonza
A LOS 7 MESES	5 Vivir en sociedad	Capacidad cognitiva Socialización	Pequeñas órdenes Predicar con el ejemplo
	6 Desarrollo neurológico	Capacidad cognitiva Motricidad	Un recorrido sembrado de objetos Mejor al aire libre Para el gateo, evitar los corralitos...
A LOS 8 MESES	7 Mucho ejercicio	Motricidad	¿Dónde está? Balón de juego
	8 Hacer cosas con las manos	Capacidad cognitiva Motricidad	Tablero de actividades Pasar páginas Aprender a ordenar
A LOS 9 MESES	9 Jugando con piezas	Capacidad cognitiva Motricidad	Golpeteo incansable Pieza a pieza
	10 Imitando	Capacidad cognitiva Motricidad Socialización	Espejito mágico Instrumento básico ¡Una torre muy alta! Toma y dame

JUEGOS y ACTIVIDADES para el BEBÉ

ETAPA	NÚMERO DE JUEGO	SE TRABAJA	ACTIVIDADES
A LOS 10 MESES	11 Aprendiendo con la música	Motricidad	¡A bailar! Un músico en potencia
	12 Incentivar el gateo	Capacidad cognitiva Motricidad	Gatear junto a él Carrera de obstáculos Cada día, algo nuevo ¡Un cubo con pelotas de colores!
A LOS 11 MESES	13 Manos exploradoras	Capacidad cognitiva Motricidad	Interruptor de juguete Libros con sonidos y texturas
	14 Reforzar la musculatura	Capacidad cognitiva Motricidad	Moverle el pie Camina si quieres esto Rodar una pelota y tomar decisiones
A LOS 12 MESES	15 Identificar personas y personajes	Capacidad cognitiva Lenguaje Motricidad	¡Eres tú el de la foto! ¡Cuéntame un cuento!
	16 Desterrar el miedo	Motricidad Socialización	Cambio de habitación Esconderse Solo con mi muñeco
A LOS 13 MESES	17 Como los mayores	Capacidad cognitiva Socialización	Juguetes representativos Jugar a las comiditas
	18 La música	Motricidad Socialización	Mayor creatividad A bailar todos juntos Repite conmigo una y otra vez
A LOS 14 MESES	19 Actividad física para andar	Motricidad	Música, siempre Caminando, caminando
	20 Definiendo su personalidad	Capacidad cognitiva Socialización	Ofrecerle variedad de juguetes Jugar por turnos

JUEGOS y ACTIVIDADES para el BEBÉ

ETAPA	NÚMERO DE JUEGO	SE TRABAJA	ACTIVIDADES
A LOS 15 MESES	(21) Aprender a vivir en sociedad	Capacidad cognitiva Socialización	Intentarlo de nuevo Juegos en el parque
	(22) Coordinación con las manos	Capacidad cognitiva Motricidad	Actividad de precisión Primeros dibujos Cantar dando palmas Juguetes con botones
A LOS 16 MESES	(23) Llenar y vaciar	Capacidad cognitiva	El coleccionista Caja con abertura
	(24) Practicando el equilibrio	Motricidad	Rodar sobre una pelota Sentado sobre la pelota
A LOS 17 MESES	(25) Pequeñas innovaciones	Capacidad cognitiva	Cambiar rutinas Los roles
	(26) El arenero	Motricidad	Hacer montañitas Subir y bajar En casa Dentro y fuera
A LOS 18 MESES	(27) Mejorar el equilibrio dinámico	Motricidad	Cambio de velocidad Carrera de obstáculos
	(28) Aprendo a golpear	Capacidad cognitiva Motricidad	El triángulo Un tambor Chocar las manos
A LOS 19 MESES	(29) ¡Me voy conociendo!	Capacidad cognitiva	Parte por parte Ante el espejo
	(30) Comprender conceptos	Capacidad cognitiva Lenguaje	De compras Imágenes reales La caja sorpresa

JUEGOS y ACTIVIDADES para el BEBÉ

ETAPA	NÚMERO DE JUEGO	SE TRABAJA	ACTIVIDADES
A LOS 20 MESES	31 Mejorar la concentración	Capacidad cognitiva Motricidad	Dibujar La hora del té
	32 Vamos a hacer filas	Capacidad cognitiva Motricidad	¡Buen viaje en tren! El juego de las clavijas
A LOS 21 MESES	33 Como tú	Motricidad Socialización	Familia de osos Dar de comer
	34 Practicar el lenguaje	Capacidad cognitiva Lenguaje	Leer un libro Canciones infantiles Estirar las frases al hablar ¿Qué cosita es?
A LOS 22 MESES	35 Pieza a pieza	Capacidad cognitiva Motricidad	Tabla de carpintero Hacer collares
	36 Aprender con animales	Capacidad cognitiva Lenguaje	Marionetas Soy un... Página a página
A LOS 23 MESES	37 Atrápame si puedes	Capacidad cognitiva Motricidad	Persecución de animales El escondite
	38 Las emociones	Socialización	Pintar y pintar Las consecuencias Poner caras
A LOS 24 MESES	39 La higiene	Capacidad cognitiva Motricidad	Lavar muñecos Dientes limpios
	40 Trucos para dejar el pañal	Capacidad cognitiva Motricidad	Por imitación Personalizar el orinal Con los muñecos Fijar horas

JUEGOS y ACTIVIDADES para el BEBÉ

ETAPA	NÚMERO DE JUEGO	SE TRABAJA	ACTIVIDADES
	41 Escucho, hablo, aprendo	El lenguaje	Cambiar la letra Te toca ser... Llama por teléfono
	42 Identificar emociones	Los sentimientos	Las normas en el juego Toma tú la decisión Yo me siento así
	43 Maneras de pensar	Sus capacidades	Disfraces caseros Dentro y fuera Los rompecabezas ¿Cuál es diferente? Préstame tu juguete
DE 25 A 36 MESES	44 Pertenencia al grupo	La socialización	Compartir, siempre Te toca empujar Salvamento marítimo Yo reparto
	45 Ejercicio físico	Psicomotricidad	Baloncesto en casa Saltar sobre la cama grande Esquivar obstáculos El juego de los bolos
	46 Como bien, duermo bien	Con autonomía	Hoy toca picnic La hora del té El pequeño chef Ordenar

CAPACIDADES	Para trabajar la motricidad	ETAPA	NÚMERO DE JUEGO
		A los 5 meses	1 ¡Tengo manos y pies! 2 ¿Dónde estoy?
		A los 6 meses	4 Aprender a desplazarse
		A los 7 meses	6 Desarrollo neurológico
		A los 8 meses	7 Mucho ejercicio 8 Hacer cosas con las manos

	ETAPA	NÚMERO DE JUEGO
CAPACIDADES — Para trabajar la motricidad	A los 9 meses	9 Jugando con piezas
		10 Imitando
	A los 10 meses	11 Aprendiendo con la música
		12 Incentivar el gateo
	A los 11 meses	13 Manos exploradoras
		14 Reforzar la musculatura
	A los 12 meses	15 Identificar personas y personajes
		16 Desterrar el miedo
	A los 13 meses	18 La música
	A los 14 meses	19 Actividad física para andar
	A los 15 meses	22 Coordinación con las manos
	A los 16 meses	24 Practicando el equilibrio
	A los 17 meses	26 El arenero
	A los 18 meses	27 Mejorar el equilibrio dinámico
		28 Aprendo a golpear
	A los 20 meses	31 Mejorar la concentración
		32 Vamos a hacer filas
	A los 21 meses	33 Como tú
	A los 22 meses	35 Pieza a pieza
	A los 23 meses	37 Atrápame si puedes
	A los 24 meses	39 La higiene
		40 Trucos para dejar el pañal
	De 25 a 36 meses	45 Ejercicio físico

	ETAPA	NÚMERO DE JUEGO
CAPACIDADES — Para trabajar la socialización	A los 6 meses	3 Reconocer y reconocerse
	A los 7 meses	5 Vivir en sociedad
	A los 9 meses	10 Imitando
	A los 12 meses	16 Desterrar el miedo
	A los 13 meses	17 Como los mayores
		18 La música
	A los 14 meses	20 Definiendo su personalidad
	A los 15 meses	21 Aprender a vivir en sociedad
	A los 21 meses	33 Como tú
	A los 23 meses	38 Las emociones
	De 25 a 36 meses	42 Identificar emociones
		44 Pertenencia al grupo

CAPACIDADES del BEBÉ

ETAPA	NÚMERO DE JUEGO
A los 5 meses	2 ¿Dónde estoy?
A los 6 meses	3 Reconocer y reconocerse
A los 7 meses	5 Vivir en sociedad
	6 Desarrollo neurológico
A los 8 meses	8 Hacer cosas con las manos
A los 9 meses	9 Jugando con piezas
	10 Imitando
A los 10 meses	12 Incentivar el gateo
A los 11 meses	13 Manos exploradoras
	14 Reforzar la musculatura
A los 12 meses	15 Identificar personas y personajes
A los 13 meses	17 Como los mayores
A los 14 meses	20 Definiendo su personalidad
A los 15 meses	21 Aprender a vivir en sociedad
	22 Coordinación con las manos
A los 16 meses	23 Llenar y vaciar
A los 17 meses	25 Pequeñas innovaciones
A los 18 meses	28 Aprendo a golpear
A los 19 meses	29 ¡Me voy conociendo!
	30 Comprender conceptos
A los 20 meses	31 Mejorar la concentración
	32 Vamos a hacer filas
A los 21 meses	34 Practicar el lenguaje
A los 22 meses	35 Pieza a pieza
	36 Aprender con animales
A los 23 meses	37 Atrápame si puedes
A los 24 meses	39 La higiene
	40 Trucos para dejar el pañal
De 25 a 36 meses	43 Maneras de pensar
	46 Como bien, duermo bien

CAPACIDADES — Para trabajar la capacidad cognitiva

ETAPA	NÚMERO DE JUEGO
A los 12 meses	15 Identificar personas y personajes
A los 19 meses	30 Comprender conceptos
A los 21 meses	34 Practicar el lenguaje
A los 22 meses	36 Aprender con animales
De 25 a 36 meses	41 Escucho, hablo, aprendo

CAPACIDADES — Para trabajar el lenguaje